Programa Bilingüe de Sadlier
Acercándote à la fe

ACERCANDOTE

DIOS

Dr. Gerard F. Baumbach

Dr. Eleanor Ann Brownell
Moya Gullage
Helen Hemmer, I. H. M.
Gloria Hutchinson
Dr. Norman F. Josaitis
Rev. Michael J. Lanning, O. F. M.
Dr. Marie Murphy
Karen Ryan
Joseph F. Sweeney
Patricia Andrews

con

Dr. Thomas H. Groome
Boston College

El Comité Ad Hoc de la
Conferencia Nacional de Obispos Católicos,
que supervisa el uso del Catecismo,
consideró que esta serie está
conforme con el
Catecismo de la Iglesia Católica.

Consultor Teológico
Reverendísimo Edward K. Braxton, Ph.D., S.T.D.
Obispo Auxiliar de San Luis

Consultor Espiritual
Rev. Donald Senior, C.P., Ph.D., S.T.D.

Consultores de Liturgia y Catequesis
Dr. Gerard F. Baumbach
Dr. Eleanor Ann Brownell

Consultores de Pastoral
Rev. Msgr. John F. Barry
Rev. Virgilio P. Elizondo, Ph.D., S. T. D.

Traducción y adaptación
Dulce M. Jiménez-Abreu

Consultores de Catequesis para la serie
José Alas
Oscar Cruz
Thelma Delgado
María Cristina González, c.v.i.
Rogelio Manrique
Rebeca Salem
Yolanda Torres
Leyda Vázquez

William H. Sadlier, Inc.
9 Pine Street
New York, New York 10005-1002
http://www.sadlier.com

INDICE /CONTENTS

 **FE VIVA** EN EL HOGAR Y EN LA PARROQUIA
incluida en cada capítulo

 FAITH ALIVE AT HOME AND IN THE PARISH
is included in each chapter

1 Dios hizo el mundo

Te alabamos, Señor. ¡Eres maravilloso!

NUESTRA VIDA

¿Te gusta descubrir cosas? Imagínate en tu lugar favorito en el parque.

Mira hacia arriba. ¿Qué has descubierto?

Mira a tu alrededor. ¿Qué has descubierto?

Mira hacia abajo. ¿Qué has descubierto?

Nombra algunas de tus cosas favoritas.

COMPARTIENDO LA VIDA

¿Por qué nuestro mundo es tan maravilloso?

¿Sabes quién lo hizo?

1 God Made the World

We praise You,
O God. You are
wonderful!

OUR LIFE

Do you like to discover things
in the world?

Imagine you are outside in
your favorite place.

Look up.
What do you discover?

Look all around.
What do you discover?

Look down.
What do you discover?

Name some more of your
favorite things in our world.

SHARING LIFE

Why is our world so wonderful?

Do you know who made it?

Dios hizo el mundo

Todas las cosas buenas vienen de Dios, nuestro Padre.

Esta es una historia de la creación tomada de la Biblia.

Léeme de la Biblia

Dios hizo el sol, la luna
y las estrellas.
La luz que nos permite ver y
nos calienta. Dios dijo: "Es bueno".
Basado en Génesis 1:3–4

Dios hizo el agua y la tierra.
Dios hizo las plantas, los
árboles y las flores. Dios dijo: "Es bueno".
Basado en Génesis 1:10–13

Dios hizo todas las cosas
vivientes en nuestro mundo.
Dios hizo todos los animales,
grandes y pequeños. Dios dijo: "Es bueno".
Basado en Génesis 1:24–25

Creación es todo lo hecho por Dios. Toda la creación es un regalo del Padre para nosotros.

¡Toda la creación de Dios es buena! Podemos conocer a Dios a través de las cosas que nuestro Padre celestial ha creado para nosotros.

God Made the World

Everything good comes from God our Father.

This is the story of creation from the Bible.

Read to me from the Bible

God made the sun, the moon, and the stars.
The light helps us to see.
The light makes us warm.
God said, "It is good."
From Genesis 1:3–4

God made the water and the earth.
He made the plants, trees, and flowers.
God said, "It is good."
From Genesis 1:10–13

God made all living things in our world.
He made all the animals, big and small.
God said, "It is good."
From Genesis 1:24–25

Creation is everything made by God. All of creation is the Father's gift to us.

All God's creation is good!
We can know God through the things our heavenly Father made for us.

9

ACERCANDOTE A LA FE

Canta esta canción acerca del maravilloso mundo de Dios.

♫ Los pajaritos que van por el aire vuelan, vuelan, vuelan, vuelan, vuelan. Los pececitos que van por el agua, nadan, nadan, nadan, nadan, nadan. Unos y otros son de Dios, los animales de la creación. Unos y otros son de Dios, pero los hombres hijos suyos son. ♫

¿Puedes decir cómo te sientes acerca del maravilloso mundo de Dios?

VIVIENDO LA FE

Usa la ilustración para terminar esta oración. Te doy gracias, oh Dios, por _____

Por turno cada uno rece su oración. Luego recen juntos:
† Gracias Dios, por toda la creación.

COMING TO FAITH

Sing this song about God's wonderful world.
(To the tune of "The Farmer in the Dell")

♫ The birds fly in the sky.
The fish live in the sea.
We all live in a wonderful world
God made for you and me. ♫

Can you tell or act out how you feel about God's wonderful world?

PRACTICING FAITH

Finish this prayer with a picture.
I thank You, God, for _____

Take turns praying your picture prayers.
Then pray together,
† Thank You, God, for all creation.

REPASO

Encierra en un círculo **Sí** o **No**.
Encierra el signo **?** si no estás seguro.

1. Creación es todo lo hecho por Dios.   **Sí**   (**No**)   **?**

2. La gente hizo los animales.   **Sí**   (**No**)   **?**

3. Todo lo creado por Dios es bueno.   (**Sí**)   **No**   **?**

4. Todo lo bueno viene de Dios.   (**Sí**)   **No**   **?**

5. Dibuja una de las cosas maravillosas hechas por Dios.

FE VIVA

EN EL HOGAR Y EN LA PARROQUIA

En esta lección los niños aprendieron acerca de Dios el creador y el maravilloso mundo que Dios nos ha dado. Hable con su niño acerca de la belleza del mundo de Dios y las formas en que podemos apreciarlo y disfrutarlo. Luego hagan la siguiente actividad juntos.

Canción sobre la creación

Pida al niño cantar la canción de la página 10. Pueden agregar otros versos a la canción.

Resumen de la fe

● Dios hizo todas las cosas.

● Todo lo creado por Dios es bueno.

REVIEW ▪ TEST

Circle **Yes** or **No**.
Circle **?** if you are not sure.

1. Creation is everything made
by God.

Yes   (**No**)   **?**

2. People made the animals.

Yes   (**No**)   **?**

3. All God's creation is good.

(**Yes**)   **No**   **?**

4. Everything good comes from God.

(**Yes**)   **No**   **?**

5. Draw one wonderful
thing God made.

 # FAITH ALIVE AT HOME AND IN THE PARISH

In this lesson your child learned about God the creator and the wonderful world that is God's gift to us. Talk to your child about the beauty of God's world and ways to appreciate and enjoy it. Then do the following activities together.

Creation Song

Have your child sing for you the song he or she learned on page 11. Together make up another verse for the song.

Faith Summary

● God made everything.

● All God's creation is good.

2 Dios hizo a los humanos

Querido Dios, gracias por hacernos buenos.

NUESTRA VIDA

¡Mírame!
¡Soy una creación maravillosa!
Tengo ojos para ver,
oídos para oír,
nariz para oler,
boca para comer y hablar,
manos para tocar, abrazar y
agarrar.

COMPARTIENDO LA VIDA

Dramatiza algo que sabes hacer bien.
¿Por qué puedes hacer tantas
cosas maravillosas?
¿Quién te dio esos dones?

2 God Made People

OUR LIFE

Look at me!

I am wonderfully made!

I have
eyes for seeing,
ears for hearing,
a nose for smelling,
a mouth for tasting and talking,
and hands for touching, hugging,
and holding.

SHARING LIFE

Act out one wonderful thing you can do.
Why can you do so many
wonderful things?
Who gave you so many gifts?

15

He aquí una historia de la Biblia.
Dios dijo: Hagamos a los humanos
a nuestra imagen y semejanza.

Basado en Génesis 1:26

Dios creó a los humanos

Dios me creó.
Soy una creación maravillosa.
Dios creó a todo el mundo.
Todo lo que Dios creó es bueno.

Dios hizo a las personas altas.
También a las pequeñas.

Dios hizo a los de piel oscura.
Hizo gente de piel clara.
No hay dos personas
exactamente iguales.

Toda persona es buena porque
Dios nos hizo a todos.

Here is a story from the Bible.
God said, "Let Us make people.
They will be like Us."

From Genesis 1:26

God Made People

God made me.
I am wonderfully made.
God made all people.
Everything He created is good.

God made big people
and small people.

God made people with dark skin.
He made people with light skin.
No two people are exactly alike.

All people are beautiful
because God made us all.

Creación quiere decir que
Dios hizo todo de la nada.

Te pareces a Dios

Dios conoce, ama y crea.
Dios también te creó para conocer, amar y
crear cosas.

Un osito de peluche es algo bueno.
Pero no puede aprender cosas.
Tú puedes conocer muchas cosas.
Dios te creó para que conozcas
y aprendas.

Un osito de peluche no puede amar.
No puede abrazarte.
Tú puedes abrazar, puedes amar.
Dios te hizo para que ames a
todo el mundo.

Un osito de peluche no puede dibujar.
Tú puedes dibujar. Puedes
hacer música.
Puedes crear muchas cosas nuevas.

Puedes conocer, amar y
hacer cosas.
Estás hecho a imagen y
semejanza de Dios.

Create means God making something new.

You Are Like God

God knows and loves and creates all things.

He made you to know and love
and make things, too.

A teddy bear is a wonderful thing.
But a teddy bear cannot know things.
You can know many things.
God made you to know and learn.

A teddy bear cannot love.
A teddy bear cannot give you a hug.
You can hug. You can love.
God made you to love everyone.

A teddy bear cannot draw.
You can draw. You can make music.
You can make many new things.

> You can know and love and
> make things.
> You are to be like God.

19

ACERCÁNDOTE A LA FE

Escoge un compañero. Escenifiquen
cosas que conocen, aman y hacen.
Mira a ver si tu compañero adivina
lo que estás haciendo.
¿Quién te hizo capaz de hacer todas
esas cosas maravillosas?

VIVIENDO LA FE

Demos gracias a Dios por hacer
a la gente tan maravillosa.

Reúnanse en dos círculos.
Un círculo se mueve a la derecha.
El otro a la izquierda.
Párate delante de cada compañero y
dale la mano.
Dile "Dios te hizo maravilloso".
Saluda a todas las personas en el aula.

COMING TO FAITH

Choose a partner. Act out ways you
can know, love, and make things.
See if your friends can tell what
you are doing.
Who made you able to do all these
wonderful things?

PRACTICING FAITH

Let us thank God for making people
so wonderful.

Gather in two celebration circles.
The inside circle moves to the left.
The outside circle moves to the right.
Stop at each friend and shake hands.
Say, "God made you wonderful!"
Do this until you have celebrated
each person.

21

REPASO

Encierra en un círculo **Sí** o **No**.
Encierra el signo **?** si no estás seguro.

1. Dios sabe, crea y ama. **No** **?**

2. Dios sólo me creó maravilloso a mí. **No** **?**

3. Dios creó y ama a todo el mundo. **No** **?**

4. Debemos ser como Dios. **No** **?**

5. ¿Cómo te sientes al saber que Dios te ama? Dibújalo en esta cara.

EN EL HOGAR Y EN LA PARROQUIA

Durante esta semana los niños aprendieron a apreciar que todo el mundo es creado y amado por Dios. Hable con su niño acerca de los dones especiales que posee y las formas en que pueden ser usados para mostrar el amor de Dios.

Regalos de la familia

Hablen de los dones de los miembros de la familia. Tome tiempo para reconocer los dones de cada persona y dar gracias a Dios, fuente de todo buen don, por ellos.

Resumen de la fe

- Dios me hizo maravilloso.
- Puedo aprender, amar y hacer cosas.

REVIEW ■ TEST

Circle **Yes** or **No**.
Circle **?** if you are not sure.

1. God knows, loves, and creates.   (Yes)   No   ?

2. God made only me wonderful.   (Yes)   No   ?

3. God made and loves all people.   (Yes)   No   ?

4. We are to be like God.   (Yes)   No   ?

5. How does it feel to know that God loves you? Show it on this face.

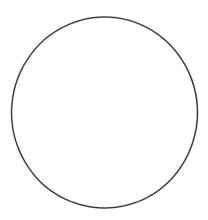

FAITH ALIVE AT HOME AND IN THE PARISH

This week your child learned to appreciate that all people are made and loved by God. Talk with your child about his or her special gifts and the ways they can be used to show God's love.

Family Gifts

Talk together about the gifts of each family member. Take time to recognize the gifts of each person and thank God, the source of all good gifts, for them.

Faith Summary

- God made me wonderful.

- I can know, love, and make things.

3 Dios nos da vida

Dios, estoy
contento de
estar vivo.

Nuestra Vida

¿Cómo sería la vida sin sonidos?

¿Qué sonidos hacen los leones?
¿Puedes imitarlos? Hazlo.

¿Cómo te sentirías si nada se moviera?

¿Cómo se mueven los delfines?
¿Puedes moverte como ellos? Hazlo.

Compartiendo la Vida

¿Qué puede hacer una flor que
una roca no puede hacer?

¿Qué puede hacer un león que
una flor no puede hacer?

¿Qué puede hacer una flor que el
león no puede hacer? ¿Por qué?

3 God Gives Us Life

OUR LIFE

What would it be like
if nothing made sounds?

What sounds do lions make?
Can you make these sounds? Do it.

How would you feel
if nothing could move?

How do dolphins move?
Can you move like them? Do it.

SHARING LIFE

What can a flower do
that a rock cannot do?

What can a lion do
that a flower cannot do?

What can you do that a flower
and a lion cannot do? Why?

25

Dios nos da la vida

Toda vida es un don de Dios.
Dios da a las plantas, a los animales
y a todas las cosas vivientes el regalo
de la vida.

Entre todas las cosas que Dios hizo,
la que más amó fue a los humanos.
El hombre tiene la vida humana.
La vida humana es un don de Dios.

Dios dijo:
Los humanos son muy buenos.

Basado en Génesis 1:27–31

La vida humana es muy valiosa para Dios.
Dios nos dio su regalo de la vida
humana a través de nuestros padres.

Dios quiere que cuidemos de la vida
humana al igual que otros cuidan de
nosotros.

God Gives Us Life

All life is a gift from God.
He gives plants, animals, and
all living things the gift of life.

Of all the things God made,
people are the most precious.
People have human life.
Human life is a gift from God.

God said,
"People are very good."

From Genesis 1:27–31

Human life is very precious to God
who gives us the gift of human life
through our parents.

God wants us to care for all
human life as others care for us.

Gracia es la vida y el amor de Dios en nosotros.

La vida de Dios en nosotros

La gracia es un don especial que tenemos de Dios.
Es el amor y la vida misma de Dios en nosotros.

Tienes la gracia de Dios.
Puedes decir:
"Dios es como un padre amoroso.
Soy un hijo de Dios".

28

Grace is God's own life and love in us.

God's Own Life

Grace is a special gift we have from God. It is His own life and love in us.

You have God's grace. You can say, "God is my loving Father. I am His own child."

29

ACERCANDOTE A LA FE

¿Qué quieres decir a Dios sobre el regalo de la vida?

Celebra los dones de la vida y la gracia de Dios en ti.

Unete a tus amigos en un círculo.

Actúa de acuerdo a las letras de esta canción.

♩ Hoy Señor, te damos gracias, por la vida,
la tierra y el sol.
Hoy Señor, queremos cantar
las grandezas de tu amor.
Gracias, Padre, mi vida es tu vida,
tus manos amasan mi barro,
mi alma es tu aliento divino,
tu sonrisa en mis ojos está. ♩

"GRACIAS, SEÑOR" © 1972, Cesareo Gabaráin.
Published by OCP Publications, 5536 NE Hassalo,
Portland, OR 97213. All rights reserved.
Used with permission.

VIVIENDO LA FE

La vida es preciosa.
¿Qué harás hoy para cuidar el regalo de la vida?

† Oremos:
Gracias, Dios, por darnos tus regalos de vida y amor.

COMING TO FAITH

What do you want to say to God about the gift of life?

Celebrate God's gifts of life and grace in you.
Join your friends in a circle.
Make up actions to go with the song.
(To the tune of "Are You Sleeping?")

♫ Who has God's life?
We have God's life.
Yes we do! Yes we do!
Thank You, God, for Your life.
Thank You, God, for Your grace.
We love You. We love You. ♫

PRACTICING FAITH

Life is very precious.
What will you do today
to take care of
the gift of life?

† Let us pray together,
Thank you, God, for giving
us Your gifts of life and love.

31

REPASO

Encierra en un círculo **Sí** o **No**.
Encierra el signo **?** si no estás seguro.

1. De todas las cosas que Dios creó las
que más amó fueron las plantas.　　　**Sí**　　**No**　　**?**

2. Nuestra vida es un regalo de Dios.　　**Sí**　　**No**　　**?**

3. Dios nos da la vida a través de
nuestros padres.　　　　　　　　　　**Sí**　　**No**　　**?**

4. Soy un hijo de Dios.　　　　　　　　**Sí**　　**No**　　**?**

5. ¿Cómo llamamos a la vida y el amor de Dios en
nosotros?

EN EL HOGAR Y EN LA PARROQUIA

Esta semana los niños aprendieron que Dios comparte su propia vida y amor con nosotros. Este regalo de Dios es la gracia. La gracia nos permite vivir como hijos de Dios y trabajar por el reino de Dios.

Hijo de Dios

Ayude al niño a decorar el borde de un plato de cartón para hacerlo lucir como una flor. Ayude al niño a dibujarse en el centro y a escribir debajo "soy hijo de Dios".

Resumen de la fe

- Dios nos da el regalo de la vida.
- La gracia es el amor y la vida de Dios en nosotros.

REVIEW ■ TEST

Circle **Yes** or **No**.
Circle **?** if you are not sure.

1. Of all living things, God loves plants most.

    Yes **No** **?**

2. Human life is our gift from God.

    Yes **No** **?**

3. God gives us human life through our parents.

    Yes **No** **?**

4. I am God's own child.

    Yes **No** **?**

5. Tell what we call God's own life and love in us.

FAITH ALIVE ■ AT HOME AND IN THE PARISH

This week your child learned that God shares God's own life and love with us. This is God's gift of grace. Grace enables us to live as God's children and to work for God's kingdom.

Child of God

Help your child to decorate the rim of a paper plate to make it look like a flower. In the center, help your child to draw or paste a picture of himself or herself. Under the picture help your child write: I am God's own child.

Faith Summary

• God gives us the gift of human life.

• Grace is God's own life and love in us.

4   Dios nos conoce y nos ama

NUESTRA VIDA

Vamos a conocernos mejor.
Habla con un compañero sobre
tus cosas favoritas,
tu juguete favorito,
lo que más te gusta hacer al aire libre.
lo que te gusta hacer cuando llueve.
Escúchense atentamente uno al otro.

¿Creen que se
conocen mejor?

COMPARTIENDO LA VIDA

¿Por qué conocer a las personas nos
hace amarlas más?

¿Piensas que Dios quiere que nos amemos unos
a otros? ¿Por qué?

4 God Knows and Loves Us

Loving God,
how much You
love each of us.

Our Life

Let's get to know our friends better.
Talk with a partner about some
favorite things,
  a favorite toy,
  a favorite thing to do outside,
  a favorite thing to do on a rainy day.
Listen carefully to one another.

Do you think you know
each other better now?

Sharing Life

How does knowing people
help us love them better?

Do you think God wants us to love
one another? Why?

Dios nos conoce y nos ama

Dios nos conoce y nos ama.
Dios nos creó por amor.
Dios nos permite participar de su propia vida.
Somos llamados hijos de Dios.

Basado en 1 de Juan 3:1

Dios nos ama y cuida siempre.
El amor de Dios es infinito.
Dios quiere que nos amemos unos a otros.

Hay un solo Dios.
Hay tres Personas en un solo Dios.
Dios Padre,
Dios Hijo,
y Dios Espíritu Santo.

OUR CATHOLIC FAITH

God Knows and Loves Us

God knows and loves us.
God gives us a share in His own life.
God made us out of love.
We are called God's children.

From 1 John 3:1

God always loves and cares for us.
God's love for us will never end.
He wants us to love one another.

There is only one God.
There are three Persons in one God:
God the Father, God the Son,
and God the Holy Spirit.

Llamamos a estas tres Personas
en un Dios la Santísima Trinidad.

La Señal de la Cruz

Cuando iniciamos una oración a Dios
decimos:

† En el nombre del Padre
y del Hijo,
y del Espíritu Santo. Amén.

Esta es la Señal de la Cruz.

Esta oración nos puede recordar siempre
el gran amor de Dios por nosotros.

In the name
of the Father,

En el nombre
del Padre

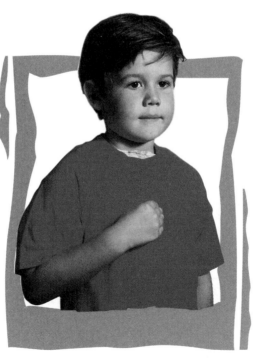

and of the Son,

y del Hijo,

and of the Holy

y del Espíritu

We call the three Persons
in one God the Blessed Trinity.

The Sign of the Cross

When we begin our prayers to God,
we say,

✝ In the name of the Father,
and of the Son,
and of the Holy Spirit. Amen.

We call this the Sign of the Cross.

This prayer can always remind us
of God's great love for us.

Spirit.

Santo.

Amen.

Amén.

ACERCANDOTE A LA FE

Para que te des cuenta de que eres un hijo de Dios, susurra tu nombre donde veas un corazón.

Dios creó a ♥ y a los demás por amor.

Dios siempre ama y cuida a ♥ y a los demás.

Dios quiere que ♥ y los demás se amen.

¿Cómo te sientes al saber que Dios te ama?

VIVIENDO LA FE

Piensa en alguna persona de tu parroquia que te recuerda que Dios te ama.
¿Cómo le darás las gracias?

Como oración final, vamos a hacer la señal de la cruz.

COMING TO FAITH

To show that you are God's child, whisper your name where you see the heart.

God made 💜 and others out of love.

God always loves and cares for 💜 and others.

God wants 💜 and others to love one another.

God loves you so much. How does this make you feel?

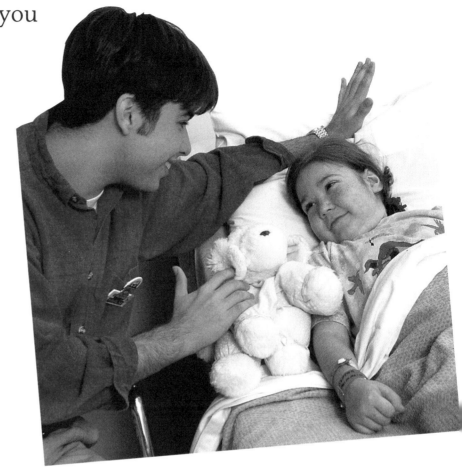

PRACTICING FAITH

Think of some people in your parish who show you that God loves you. How will you thank them?

Let us make the sign of the cross together as our closing prayer.

REPASO

Encierra en un círculo **Sí** o **No**.
Encierra el signo **?** si no estás seguro.

1. Hay un solo Dios.   (Sí)   No   ?

2. Hay tres Personas en un Dios.   (Sí)   No   ?

3. La Santísima Trinidad es un solo
Dios en tres Personas.   (Sí)   No   ?

4. El amor de Dios por nosotros
terminará.   Sí   (No)   ?

5. Haz la señal de la cruz.

EN EL HOGAR Y EN LA PARROQUIA

Esta semana los niños aprendieron a hacer la señal de la cruz, una señal de bendición y de nuestra creencia en la Trinidad. Dios Padre, Dios Hijo y Dios Espíritu Santo quienes son entera y eternamente Dios. Nuestra fe está siempre en un Dios trino. La Santísima Trinidad es el misterio central de la vida y la fe cristiana. Dios se nos ha revelado por medio de este misterio de fe. La doctrina de la Santísima Trinidad nos ayuda a entender que Dios es nuestro creador, nuestro redentor y santificador. Los católicos empiezan sus alabanzas y oraciones en el nombre de la Trinidad haciendo la señal de la cruz.

La señal de la cruz

Invite a su hijo a mostrarle como hacer la señal de la cruz. Juntos háganla antes de ir a la cama.

Resumen de la fe

● Dios nos conoce y nos ama.

● Dios nos creó para que nos amemos unos a otros.

42

REVIEW ■ TEST

Circle **Yes** or **No**.
Circle **?** if you are not sure.

1. There is only one God.   Yes   No   ?

2. There are three Persons in one God.   Yes   No   ?

3. The Blessed Trinity is three Persons
in one God.   Yes   No   ?

4. God's love for us will end.   Yes   No   ?

5. Show how you make the sign
of the cross.

FAITH ALIVE ■ AT HOME AND IN THE PARISH

This week your child learned to make the sign of the cross, a sign of blessing and of our belief in the triune God. God the Father, God the Son, and God the Holy Spirit are each fully and eternally God. Yet our faith is always in one God, a unity of three in one. The mystery of the Blessed Trinity is the central mystery of Christian faith and life. God has revealed to us this mystery of faith. The doctrine of the Blessed Trinity helps us to understand that God is our Creator, Redeemer, and Sanctifier. Catholics begin worship and prayer in the name of the Trinity by making the sign of the cross.

The Sign of the Cross
Invite your child to show how he or she can make the sign of the cross. Pray it together before your child goes to bed.

Faith Summary
● God knows us and loves us.

● God made us to love one another.

5 La promesa de Dios

NUESTRA VIDA

Léeme
Una promesa es algo especial,
digo lo que haré.
La razón por la cual es especial
es porque he dado mi palabra.

Una promesa se puede romper
pero espero no romper la mía.
Quiero ser el tipo de amigo
que mantiene su palabra.

¿Quiénes son tus amigos?
¿Les has prometido algo?
¿Has roto tu promesa alguna vez?

¿Qué significa mantener una
promesa?

COMPARTIENDO LA VIDA

Escoge un compañero.
Conversen sobre sus sentimientos
sobre los amigos que mantienen
sus promesas.

¿Por qué debemos mantener nuestras
promesas?

5   God's Promise

Our Life

Read to me

A promise is a special thing
I say that I will do.
The reason that it's special is
I give my word to you.

A promise can be broken, but
I hope that mine won't be.
I want to be the kind of friend
Who keeps my word, you see.

Who are your friends?
Do you make promises to them?
Do you ever break your promises
to them?

What does it mean to keep a
promise?

Sharing Life

Choose a friendship partner.
Tell each other how it feels
to have a friend
who keeps promises.

Why should we
keep our promises?

45

La promesa de Dios

Dios promete amarnos y estar con
nosotros siempre.
He aquí una historia bíblica
que nos ayuda a recordar
la promesa de amor de Dios.

Léeme de la Biblia

El primer hombre y la primera mujer
vivían en un jardín llamado Edén.
Ellos eran Adán y Eva.
Dios les prometió que serían felices
si hacían lo que él les pidiera.
Tenían todo lo que necesitaban.
Pero querían más.

Adán y Eva se alejaron de Dios.
No hicieron lo que Dios les pidió. Esto hizo
daño a Adán, a Eva y a todos sus hijos.
Se sintieron avergonzados. Se
escondieron de Dios. Dios los
buscó. Dios nunca dejó de amarlos.
El prometió enviarles a alguien
para que los ayudara.
Basado en Génesis 2:8–3:15

God's Promise

God promises to be with us and to love us always. Here is a Bible story that helps us remember God's promise of love.

Read to me from the Bible

The first man and woman lived in a beautiful garden called Eden. Their names were Adam and Eve. God promised they would be happy always if they did what He asked. They had everything they needed. But they still wanted more.

Adam and Eve turned away from God. They did not do what God asked them to do. This hurt Adam and Eve and all their children. Then they felt ashamed. So they hid from Him. But God looked for them and found them. God never stopped loving them. He promised to send someone to help them.

From Genesis 2:8–3:15

Dios mantiene su promesa

Dios cumplió su promesa enviando
a Jesús, su Hijo. Jesús nos muestra
cómo amar a Dios y a nuestro prójimo.
Si vivimos como Jesús nos enseñó,
podemos ser felices con Dios para siempre.

Nosotros somos hijos de Adán y Eva.
Dios quiere que elijamos lo que es correcto.
Algunas veces hacemos lo que no debemos.
Pero Dios nunca deja de amarnos,
no importa lo que hagamos.
Dios promete amarnos siempre.

God Keeps the Promise

God kept this promise by
sending us Jesus, God's own Son.
Jesus shows us how to love God
and one another.
If we live as Jesus shows us, we
can be happy with God forever.

We are the children of Adam
and Eve, too.
God wants us to choose
what is right.
Sometimes we do what
we should not do.
But God never stops loving us,
no matter what we do.
He promises to love us always.

Viviendo la Fe

¿Qué nos promete Dios?

Siéntate en silencio y reza en tu corazón.
Piensa en la promesa de Dios.
Pon tu mano derecha sobre tu corazón.
Di a Dios como te sientes.

† Entonces di: "Dios, gracias
por amarme tanto. Siempre
te amaré".

Acercándote a la Fe

Un arco iris es señal de la
promesa de amor de Dios.
En grupo, dibujen una bandera
"Arco iris de promesa" escriban
al final "Dios siempre nos ama".

Cuelguen la bandera en el centro
parroquial.
Inviten a la gente de la parroquia a
escribir sus nombres en la bandera.

† Recen juntos: "Gracias, oh Dios,
por prometer amarnos siempre".

Dios siempre nos ama

COMING TO FAITH

What does God promise us?

Sit quietly and pray in your heart.
Think about God's promise.
Hold your right hand over your heart.
Tell God how you feel.
† Then say, "God, thank You
for loving me so much.
I will always love You."

PRACTICING FAITH

A rainbow is a sign to us
of God's promise of love.
Make a group "rainbow promise
banner." Put on your banner,
"God always loves us."

Hang your banner in the church
or parish center.
Invite the people at your church to
sign their names on your banner.
† Together pray, "Thank You, God,
for promising to love us always."

REPASO

Encierra en un círculo **Sí** o **No**.
Encierra el signo **?** si no estás seguro.

1. Adán y Eva obedecieron a Dios.   **Sí**   **No**   **?**

2. Dios rompió la promesa que nos
hizo.   **Sí**   **No**   **?**

3. Algunas veces hacemos lo que no
queremos hacer.   **Sí**   **No**   **?**

4. Dios siempre nos ama.   **Sí**   **No**   **?**

5. Dios envió a alguien para enseñarnos a amar a Dios y a
los demás. ¿Quién fue?

_____

- -

_____

FE VIVA EN EL HOGAR Y EN LA PARROQUIA

Esta semana los niños aprendieron la historia bíblica de la creación de los primeros seres humanos. La intención de esta historia no es hacer un recuento literal de un hecho histórico; sino para decirnos que Dios es nuestro creador y que los seres humanos perdieron el don original de la amistad con Dios. A esto lo llamamos pecado original. La historia también nos recuerda la presencia del pecado en nuestro mundo y nuestras vidas. Por el don de la libertad que Dios nos ha dado, podemos alejarnos de Dios, pecar.

Sin embargo, Dios no abandonó a la raza humana. Dios prometió enviar a un salvador: "El Señor les dará una señal; una joven virgen dará a luz un hijo a quien llamará 'Emanuel'" (Basado en Isaías 7:14). Emanuel quiere decir "Dios con nosotros".

Resumen de la fe

- La gente se alejó de Dios.
- Dios prometió un salvador y nos dio a Jesús, Hijo único de Dios.

REVIEW ▪ TEST

Circle **Yes** or **No**.
Circle **?** if you are not sure.

1. Adam and Eve obeyed God.　　**Yes**　　**No**　　**?**

2. God broke God's promise to us.　　**Yes**　　**No**　　**?**

3. Sometimes we do what we
should not do.　　**Yes**　　**No**　　**?**

4. God will love us always.　　**Yes**　　**No**　　**?**

5. God sent someone to show us how
to love God and others. Who was it?

_____

_____

_____

FAITH ALIVE AT HOME AND IN THE PARISH

This week your child learned the biblical story of the creation of the first human beings. The story is not intended as a literal account of a historical event; it tells us, however, that God is our creator and that human beings lost the original gift of God's friendship. We call this original sin. The story also reminds us of the reality of sin in our world and in our lives. Because of the very gift of freedom that God gave to us, we are able to turn from God—we commit sin.

However, God did not abandon the human race. God promised to send a Savior: "The Lord will give you a sign: a young woman is with child and will have a son whom she will call 'Immanuel'" (from Isaiah 7:14). Immanuel means "God is with us."

Faith Summary

● People turned away from God.

● God promised to save us and gave us Jesus, God's own Son.

6　La Biblia

Dios, abre
nuestros oídos y
corazón para
escuchar
tu palabra.

Guía: Nos reunimos para escuchar atentamente importantes palabras de la Biblia, el libro que Dios nos regaló.

Lector: Dios dice: "Está quieto y escúchame, no tengas miedo, yo estoy contigo".
Basado de Isaías 41:1,10

Todos: Dios, escuchar tu palabra nos hace feliz.

Lector: Jesús dice: "Felices los que hacen la voluntad de Dios.
Dios los bendecirá".
Basado en Mateo 5:6

Compartiendo la vida

¿Cómo te sientes al escuchar a Dios decir: "No temas, yo estoy contigo"? Cuéntanos.

6 The Bible

God, open our
ears and hearts
to listen
to Your word.

Our Life

Leader: Let us gather and quietly listen to very important words from the Bible, the book that is God's gift to us.

Reader: God says, "Be very quiet and listen to Me! Do not be afraid— I am with you!"

From Isaiah 41:1,10

All: God, listening to Your word makes us happy!

Reader: Jesus says, "Happy are those who do what God wants. He will bless them fully."

From Matthew 5:6

Sharing Life

How do you feel when you hear God say, "Do not be afraid— I am with you."? Tell about it.

Hace muchos años, la gente quiso contar la
historia de Dios. Empezaron pensando en cómo
fue hecho el mundo. Pensaron en quién lo hizo.

Dios ayudó a la gente a encontrar las respuestas.
Escribieron la historia de todo lo que Dios había
hecho por ellos. La historia de Dios es la Biblia.

Las historias en la Biblia nos dicen acerca
de Dios y su amor por nosotros. Escuchamos
las historias de Dios con frecuencia y
aprendemos sobre los dones que él nos da.

En la Biblia leemos sobre el mayor
regalo de Dios, Jesucristo, verdadero
Hijo de Dios.

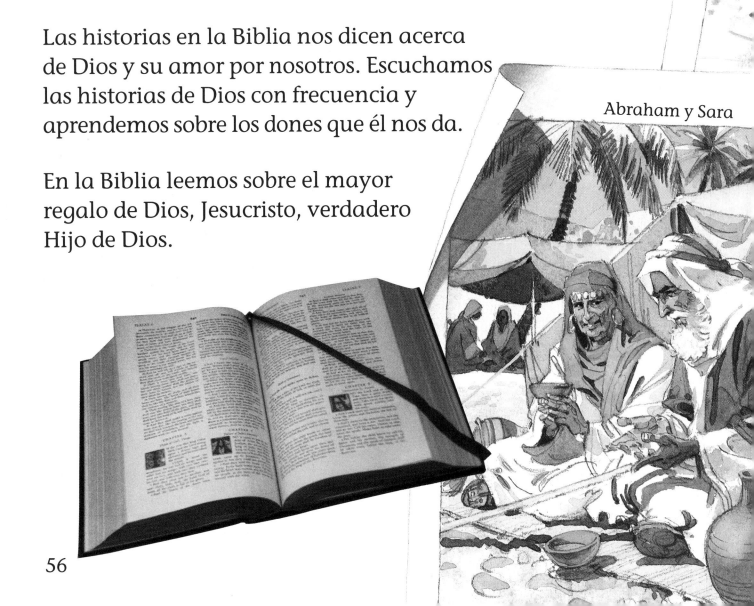

Abraham y Sara

Ruth

A long time ago some people wanted to tell God's story. They began by thinking about who made the world. They thought about who made them.

God helped the people to find answers to their questions. They wrote the story of all that God had done for them. We call God's story the Bible.

The stories in the Bible tell us about God and His love for us. We listen to God's story often, and we learn about His gifts to us.

The Bible tells us about God's best gift. God's best gift is Jesus Christ, His own Son.

Acercándote a la Fe

Vamos a compartir esta oración para decir a Dios que queremos escuchar su palabra con atención.

Oh, Dios, estamos felices de escuchar tu palabra.
Oh, Dios, te damos gracias mientras escuchamos tu historia.
Oh, Dios, estamos felices de escuchar tu palabra.

Viviendo la Fe

Haz un botón "oyente feliz". Usalo cuando escuches una historia de Dios de la Biblia.

Usa tu distintivo ahora mientras llevamos la Biblia a un lugar especial.

Guía: Vamos a rezar "Oh, Dios, estamos felices de escuchar tu palabra".

Guía: Oremos con acciones. Siguiendo las fotos.

† **Todos:** Dios, escuchar tu palabra nos hace feliz.

Dios, cumplir tu palabra nos hace feliz.

Dios, compartir tu palabra nos hace feliz.

Coming To Faith

Let us share this prayer to tell God that we want to be good listeners to His word.

Oh, God, we're happy listening to Your word.
Oh, God, we're happy listening to Your word.
Oh, God, we give You glory
as we listen to Your story.
Oh, God, we're happy listening
to Your word.

Practicing Faith

Make a "Happy Listener" badge. Wear this badge when you listen to God's story in the Bible.

Wear your badge now as we carry the Bible to a special place.

Leader: Let us pray, "Oh, God, We're Happy Listening to Your Word."

Leader: Let us pray with actions. Follow the pictures.

† **All:** God, listening to Your word makes us happy.

God, keeping Your word makes us happy.

God, sharing Your word makes us happy.

REPASO

Encierra en un círculo la respuesta correcta.

1. La Biblia es la _____ de Dios.

vida   historia   palabra

2. Escuchamos el _____ de Dios.

mensaje   poder   don

3. El mejor regalo que Dios nos ha dado es su _____

domingo.   oración.   Hijo.

4. Cuéntanos una de tus historias bíblicas favoritas.

_____

- -

_____

FE VIVA
EN EL HOGAR Y EN LA PARROQUIA

En esta lección presentamos la Biblia a los niños, la palabra de Dios escrita en lenguaje humano. Todo católico debe leer este libro, reflexionar sobre él y amarlo. La Iglesia nos pide rezar y meditar con la Biblia como fuente principal de nuestro crecimiento y sabiduría espiritual para nuestra vida diaria.

Resumen de la fe

- La Biblia nos habla de Dios y de su amor por nosotros.

- Escuchamos cuidadosamente el mensaje de Dios.

REVIEW ■ TEST

Circle the correct answer.

1. The Bible is God's ___Story___.

life   (story)   world

2. We listen to God's ___message___.

music   letter   (message)

3. God's best gift to us is God's own ___Son___.

(Son)   Sunday   prayer

4. Tell a favorite story from the Bible.

Abram

 FAITH ALIVE ## AT HOME AND IN THE PARISH

In this lesson your child was introduced to the Bible, the word of God to us written in human language. It is the book that every Catholic should read, reflect on, and love. The Church urges us to pray and meditate on the Bible as a primary source of spiritual growth and wisdom for daily life.

Faith Summary

- The Bible tells about God and His love for us.

- We listen carefully to God's message.

Oh Señor, hoy
honramos a
todos tu santos.

NUESTRA VIDA

Léeme

A todos los niños del vecindario les gusta el señor Rosas. El les cuenta historias y repara sus juguetes cuando se rompen. Les permite jugar en su jardín. Siempre habla con ellos cuando vienen a visitarle.

Los niños y sus familias quieren agradecer al señor Rosas en forma especial. Están organizando una fiesta para él. Llamarán a ese día "día del señor Rosas".

Imagina que vives en el vecindario del señor Rosas. ¿Qué prepararías para la fiesta?

COMPARTIENDO LA VIDA

¿A qué persona en especial te gustaría honrar? ¿Por qué?

¿Cómo muestras que aprecias a esa persona?

7 All Saints

O God, we honor
all Your saints
today.

Our Life

Read to me

All the children in the neighborhood like Mr. Rosas. He tells them stories and fixes their broken toys. He lets them play in his yard. He always talks with them when they come to visit.

The children and their families want to honor Mr. Rosas in a special way. They are planning a neighborhood party for him. The day will be known as "Mr. Rosas's Special Day."

Imagine you live in Mr. Rosas's neighborhood. What would you do for the party?

Sharing Life

Who is a special person you would like to honor? Why?

How would you show that you honor this person?

En nuestra Iglesia honramos a algunas personas especiales cada primero de noviembre. Estas personas especiales son llamadas santos.

Santos son todas las personas que amaron mucho a Dios y a los demás. Durante su vida aquí en la tierra hicieron lo que Dios pide hacer. Ahora están felices en el cielo con Dios.

Cuando estaban en este mundo, los santos trataron de hacer lo que Jesús nos manda:

- dar de comer al hambriento,
- ayudar al pobre,
- rezar unos por otros,
- compartir las pertenencias,
- ser amables y justos con todos,
- trabajar por la paz.

No sabemos el nombre de todos los santos que están con Dios en el cielo. Celebramos la fiesta de Todos los Santos para honrar a esas personas especiales.

In our Church we honor some special people each year on November 1. These special people are called saints.

Saints are people who love God and others very much. They did what God wanted them to do during their life on earth. Now they are happy with Him forever in heaven.

When they were alive, the saints tried to do the things Jesus told us to do:
• feed the hungry,
• help poor people,
• pray to God each day,
• share their things with others,
• be kind and fair to everyone,
• be peacemakers.

We do not know the names of all the saints who are with God in heaven. We celebrate the feast of All Saints to remember and honor all these special people.

ACERCANDOTE A LA FE

Hagan dos filas, una frente a la otra y recen:

Grupo 1
Santa Isabel diste de comer a los pobres de Hungría.
Ruega por nosotros.

Grupo 2
San José cuidaste de María.
Ruega por nosotros.

Grupo 1
Santa Teresa hiciste pequeñas cosas por Jesús.
Ruega por nosotros.

Santa Teresa

Grupo 2
San Martín ayudaste a los pobres y a los desamparados.
Ruega por nosotros.

Grupo 1
San Nicolás ayudaste a los niños necesitados.
Ruega por nosotros.

Grupo 2
Santa Rosa ayudaste a los pobres de Lima.
Ruega por nosotros.

San José

Form two lines and face each other and pray:

Group 1
Saint Elizabeth, you fed the poor and hungry. Pray for us.

Group 2
Saint Joseph, you cared for Jesus and Mary. Pray for us.

Group 1
Saint Thérèse, you did little things for Jesus. Pray for us.

Group 2
Saint Martín, you helped the sick and homeless. Pray for us.

Group 1
Saint Nicholas, you helped the needy children. Pray for us.

Group 2
Saint Rose, you help the poor of Lima. Pray for us.

Saint Elizabeth

Saint Martín de Porres

Viviendo la Fe

¿Qué harás para ser como los santos?
¿Cómo honrarás a los santos el
día primero de noviembre, día de
Todos los Santos?
Esta fotografía te puede ayudar.

Dibuja uno de tus santos favoritos en una
tarjeta vacía y escribe una oración.
Comparte tu tarjeta con tu familia y amigos.

PRACTICING FAITH

How will you be like the saints?
How will you honor the saints
on November 1, All Saints' Day?
The pictures can help you decide.

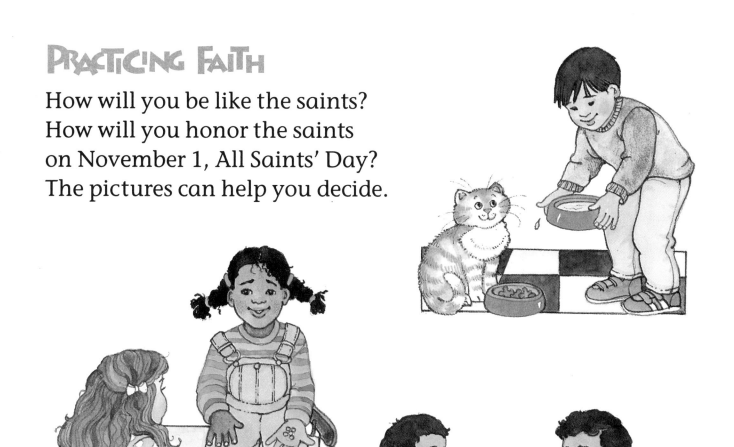

Draw one of your favorite
saints on an empty card.
Write a prayer.
Share your card with your
family and friends.

REPASO

Encierra en un círculo la respuesta correcta.

1. El primero de noviembre la Iglesia honra

a <u>todos los Santos</u>

       toda la gente   (todos los santos)

2. El primero de noviembre celebramos

la fiesta de <u>Todos Santos</u>

       (Todos los Santos)   Navidad

3. Los santos tratan de vivir como <u>Jesús</u> enseñó.

       sus amigos   (Jesús)

4. Los santos son personas que <u>aman</u> a Dios y
a los demás.

       salvan   (aman)

5. Di una cosa que puedes hacer para llegar a ser santo.

FE VIVA EN EL HOGAR Y EN LA PARROQUIA

En esta lección a los niños se les explicó lo que significa ser santo. Un santo es alguien que la Iglesia reconoce ha vivido una vida santa. Los primeros cristianos usaban la palabra para incluir a todos los que hicieron o hacen la voluntad de Dios. Un santo, es entonces, aquel que verdaderamente vive las enseñanzas del evangelio de Cristo. El Concilio Vaticano Segundo nos recuerda que todos los cristianos somos llamados por el Bautismo a esa santidad de vida.

Resumen de la fe

- Santos son aquellos que amaron a Dios e hicieron su voluntad en la tierra.
- Celebramos la fiesta de Todos los Santos el primero de noviembre.

REVIEW ▪ TEST

Circle the correct answer.

1. On November 1, the Church honors _____ .

   all people   the saints

2. November 1 is called the feast of _____ .

   All Saints   Christmas

3. Saints try to live as _____ taught them.

   their friends   Jesus

4. Saints are people who _____ God and others.

   save   love

5. Tell one thing you can do to become a saint.

FAITH ALIVE AT HOME AND IN THE PARISH

This lesson deepened your child's understanding of what it means to be a saint. A saint is someone recognized by the Church for living a holy life. The early Christians used this word to include all those who have done or are doing God's will. A saint, then, is someone who truly lives the gospel teachings of Christ. The Second Vatican Council reminds us that all Christians are called by Baptism to such holiness of life.

Faith Summary

● Saints are people who loved God and did God's will on earth.

● We celebrate the feast of All Saints on November 1.

8   La historia de Jesús

NUESTRA VIDA

Todo el mundo estaba muy contento el día en que naciste.

"¡Qué bebé más lindo!" Decían todos.

"Bienvenido _____".

(tu nombre)

¿Qué sabes del día de tu nacimiento?

Cuéntanos tu historia.

COMPARTIENDO LA VIDA

¿Por qué la gente se alegra por el nacimiento de un bebé?

Pretende que estás hablando con Jesús cuando nació. ¿Qué le dirías?

8 The Story of Jesus

Jesus, thank You
for being born
like us.

OUR LIFE

Everyone was so happy
the day you were born!
Everyone said, "What a beautiful baby!

Welcome, _____."
                    (your name)

What do you know about
the day you were born?
Tell your story.

SHARING LIFE

Why are people happy when
a new baby is born?

Pretend you are talking
to Jesus when He was born.
What would you say?

La historia de Jesús

Dios quiso darnos el regalo de Jesús. Jesús es el Hijo de Dios. Dios pidió a María ser la madre de Jesús. María dijo sí a Dios.

Basado en Lucas 1:26–38

Léeme de la Biblia

María estaba casada con José. Fueron a un pueblo llamado Belén. No había lugar en la posada para ellos. Tuvieron que quedarse en un establo. Ahí nació Jesús, el Hijo de Dios. María acostó a Jesús en un pesebre.

Basado en Lucas 2:4–7

Celebramos el nacimiento de Jesús en Navidad.

The Story of Jesus

God wanted to give us the gift of Jesus.
Jesus is His own Son.
God asked Mary to be the mother of Jesus.
Mary said yes to God.

From Luke 1:26–38

Read to me from the Bible

Mary was married to Joseph. They went to a town called Bethlehem. There was no room for them at the inn. They had to stay in a stable. There Mary gave birth to Jesus, God's own Son. Mary laid Jesus in a manger.

From Luke 2:4–7

We celebrate Jesus' birth at Christmas.

En **Navidad**, celebramos el nacimiento de Jesús.

Jesús es uno de nosotros. El
rió y jugó con sus amigos.
Los amó y compartió con ellos.
Algunas veces sintió miedo y se cansó.

Jesús aprendió a leer.
Estudió la Biblia.
María y José le enseñaron a
amar, a rezar y a trabajar.
Llamamos a Jesús, José y María, la
Sagrada Familia.

Hoy Jesús sigue siendo parte de
nuestra familia humana.
Jesús ayuda a que en nuestras familias nos
amemos y preocupemos unos por otros.

At **Christmas** we celebrate the birth of Jesus.

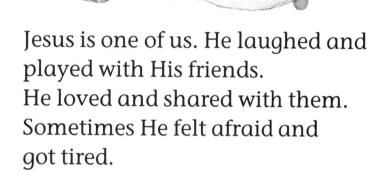

Jesus is one of us. He laughed and played with His friends.
He loved and shared with them.
Sometimes He felt afraid and got tired.

Jesus learned how to read.
He studied the Bible.
Mary and Joseph taught Him to love and pray and work.
We call Jesus, Mary, and Joseph the Holy Family.

Today Jesus is still part of our human family.
Jesus helps our families to love and care for one another as He did.

77

ACERCANDOTE A LA FE

Imagina que vas a visitar a la
Sagrada Familia.
¿Qué crees que pueden hacer o decir?
¿Cómo te sentirías?

VIVIENDO LA FE

Reza en silencio. Pide a la Sagrada Familia
que ayude a tu familia a ser santa.

Colorea esta bandera de oración. Comparte
la oración con tu familia. Invita a los miembros
de la familia a escribir sus nombres en ella.
Coloca tu bandera en un lugar donde tu
familia pueda verla esta semana.

Sagrada Familia

Acompaña a nuestra familia. Amén.

Coming To Faith

Imagine you are going to visit
the Holy Family for the whole day.
What might you do together?
What might you say to one another?
How would you feel?

Practicing Faith

Pray in your heart. Ask Jesus, Mary,
and Joseph to help your family be a
holy family.

Color the prayer banner. Share the prayer
with your family. Invite your family to
write their names on it. Put your banner
where your family will see it every day
this week.

Holy Family
be with our family. Amen.

REPASO

Colorea el círculo al lado de la respuesta correcta.

1. Celebramos el nacimiento de Jesús en _____.
○ Pascua   ◉ Navidad   ○ Acción de Gracias

2. El padre adoptivo de Jesús fue _____.
○ Juan   ◉ José   ○ Jesucristo

3. _____ es la madre de Jesús.
○ Ana   ○ Isabel   ◉ María

4. Jesús, María y José forman la Sagrada _____.
○ Trinidad   ○ Iglesia   ◉ Familia

5. Di cómo Jesús es como nosotros.

FE VIVA EN EL HOGAR Y EN LA PARROQUIA

Esta semana los niños aprendieron que Jesús es el Hijo de Dios y el hijo de María. Que él es verdadero Dios y verdadero hombre en la unidad de su divina Persona. Porque Jesús fue humano como nosotros, experimentó las mismas penas y alegrías que nosotros. El fue uno de nosotros, como la Escritura nos lo recuerdan, él fue "como nosotros en todo menos en el pecado" (Hebreos 4:15). Esta afirmación de la completa humanidad y divinidad de Jesucristo es un dogma central de nuestra fe.

Resumen de la fe
- Jesús es el Hijo de Dios.
- Jesús es uno de nosotros.

REVIEW ■ TEST

Fill in the circle beside the correct answer.

1. We celebrate the birth of Jesus on _____.
○ Easter   ◉ Christmas   ○ Thanksgiving

2. The foster father and protector of Jesus is _____.
○ John   ◉ Joseph   ○ Jesus Christ

3. The mother of Jesus is _____.
○ Anne   ○ Elizabeth   ◉ Mary

4. Jesus, Mary, and Joseph are the Holy _____.
○ Trinity   ○ Church   ◉ Family

5. Tell how Jesus was like us.

FAITH ALIVE AT HOME AND IN THE PARISH

This week your child learned that Jesus is both the Son of God and the son of Mary. He is true God and true man in the unity of His divine Person. Because Jesus was human like us, He shared the same joys and sorrows we share. He was one of us; as Scripture reminds us, He was "like us in all things but sin" (Hebrews 4:15). This affirmation of the full humanity and full divinity of Jesus Christ is a central dogma of our faith.

Faith Summary
● Jesus is God's own Son.
● Jesus is one of us.

81

9 Jesús es el Hijo único de Dios

NUESTRA VIDA

Léeme

Ayer fue el cumpleaños de mi padre.
Quería mostrarle cuanto lo quiero. Pero
no tenía dinero para comprarle un regalo.

Entonces recordé que tenía una roca
especial en mi caja de tesoros.
La encontré un día mientras
caminaba con mi papá. Lustré
la roca con aceite para que brillara y se la
di a mi padre durante la cena.

Después de la cena mi padre me dijo:
"Tu regalo fue el que más me gustó,
realmente muestra tu amor".

Nombra algunas cosas que
tienen valor para ti.

¿Ha regalado una de
esas cosas a alguien?

COMPARTIENDO LA VIDA

¿Puede el amor ser un regalo? ¿Por qué?

¿Por qué el amor es el mejor regalo de todos?

¿Cuáles son los mejores regalos que Dios nos da?

9 Jesus Is God's Own Son

Thank You, God,
for giving us the
gift of Jesus!

Our Life

Read to me

Yesterday was my dad's birthday. I wanted to show him how much I love him. But I had no money to buy him a gift.

Then I remembered a special rock I had in my treasure box. Dad and I found it on our walk one day. I rubbed the rock with oil to make it shine. I gave it to my dad at dinner.

After dinner Dad told me, "Your gift was my favorite. It really showed your love."

Name some things you treasure.

When would you ever give your treasure as a gift?

Sharing Life

Can love be a gift? Why?

Why is love the best gift of all?

What are some of the best gifts God gives us?

Jesús es el Hijo único de Dios

Dios nos da muchos regalos.
El mayor regalo de Dios a
nosotros es Jesucristo,
el Hijo de Dios.

Jesús viajó de pueblo en
pueblo instruyendo a la gente
acerca del amor de Dios.
Ayudó a muchas personas
en necesidad.

Jesús mostró a la gente lo
mucho que Dios la ama.
También les enseñó a amarse y
a preocuparse unos por otros.
Les enseñó a cuidar de los
pobres en forma especial.

Lo que Jesús hizo fue mostrar
que él era el Hijo de Dios.

Jesus Is God's Own Son

God gives us many gifts.
His greatest gift to us is
Jesus Christ, His own Son.

Jesus traveled from place
to place telling people
about God's love. He helped
people in need.

Jesus showed people how much
God loved them.
He showed them how to love
and care for one another.
He taught them to care
for poor people in a special way.

What Jesus did and said showed
that He was the Son of God.

Léeme de la Biblia

Un día Jesús y sus amigos estaban en un bote. De repente una tormenta comenzó a soplar. Las olas empezaron a llenar el bote de agua. Los amigos de Jesús tuvieron miedo. Jesús se puso de pie y dijo al viento y al mar: "Esten quietos". Inmediatamente el viento dejó de soplar. El mar se aquietó y sus amigos dijeron: "¿Quién es este que hasta el viento y el mar le obedecen?".

Basado en Marcos 4:35–41

Jesús nos mostró de diferentes formas cómo es Dios. Nos lo mostró con lo que hizo y dijo.

Jesús dijo: "El que me ha visto a mí ha visto al Padre".

Basado en Juan 14:9

Read to me from the Bible

One day, Jesus and His friends were in a boat. Suddenly a strong wind began to blow. The waves began to fill the boat. Jesus' friends were afraid. Jesus stood up and told the wind and the sea, "Be quiet!" At once, the wind stopped blowing. The sea was quiet. The friends of Jesus said, "Who can this be that the wind and the sea obey him?"

From Mark 4:35–41

Jesus showed us in many ways what God is like.
He showed us by what He did and said.

Jesus said, "Anyone who has seen Me has seen the Father."

From John 14:9

ACERCANDOTE A LA FE

Algunas veces el capitán del barco
tiene algo importante que decir.
Primero anuncia por una bocina:
"Ahora escuchen".

Túrnense para ser el capitán diciendo:
"Ahora escuchen".
Luego cada uno diga algo que Jesús
dijo para mostrarnos como es Dios.

VIVIENDO LA FE

Ahora en silencio
recen juntos la siguiente oración:
Jesús, regalo de Dios a nosotros,
Hijo único de Dios,
muéstranos el amor de Dios a nosotros
tú eres el Hijo de Dios.

¿ Puedes enseñar esta oración a
alguien en tu casa?

¡Ahora escuchen!

88

"Now Hear This!"

Coming To Faith

Sometimes the captain of a boat has something important to tell. First the captain says on the loud speaker, "Now hear this!"

Take turns being the boat captain. Say, "Now hear this!" Then tell everyone something Jesus did or said to show us what God is like.

Practicing Faith

Have a moment of silence for praying the following prayer.

Jesus, God's gift to us,
God's own Son,
shows God's love for us.
You are God's own Son.

Can you teach this prayer to someone at home?

REPASO

Encierra en un círculo la respuesta correcta.

1. Jesucristo es _____.

   (el Hijo de Dios)   (el Espíritu Santo)

2. _____ es el gran regalo de Dios a nosotros.

   (Jesús)   la Iglesia

3. Lo que Jesús hizo y dijo nos muestra
   que él es _____.

   el Padre   (el Hijo de Dios)

4. Cuenta una historia en la que Jesús hizo algo que mostró
   quien es él.

FE VIVA EN EL HOGAR Y EN LA PARROQUIA

En esta semana los niños aprendieron que Jesucristo es el mejor regalo de Dios a nosotros. El es la segunda Persona de la Santísima Trinidad quien vino al mundo a cumplir el plan de salvación de Dios. Jesús se hizo uno de nosotros y compartió nuestra condición humana. El fue igual a nosotros en todo menos en el pecado. Por su vida, muerte y resurrección, Jesús dio nueva vida a todo el género humano. Jesús es nuestro salvador y redentor.

Resumen de la fe

● Jesús es el mayor regalo de Dios a nosotros.

● Jesús nos mostró que él es el Hijo único de Dios.

REVIEW ■ TEST

Circle the correct answer.

1. Jesus Christ is _____.

  (the Son of God)   the Holy Spirit

2. God's greatest gift to us is _____.

  (Jesus)   the Church

3. What Jesus did and said showed
that He was _____.

  the Father   (the Son of God)

4. Tell the story of something Jesus did that
shows who He is.

FAITH ALIVE AT HOME AND IN THE PARISH

Your child learned this week that Jesus Christ is God's best gift to us. He is the second Person of the Blessed Trinity who came into the world to fulfill God's plan of salvation. Jesus became one of us and shared our human condition. He was like us in everything but sin. By His life, death, and resurrection, Jesus brought new life to all humankind. Jesus is our Savior and Redeemer.

Faith Summary
- Jesus is God's greatest gift to us.
- Jesus shows us He is God's own Son.

10   Jesús es nuestro amigo

Jesús, ayúdanos a
vivir como tus
amigos.

Nuestra Vida

Léeme
Quiero dibujar el mejor amigo que
se pueda tener. Esto es lo que
voy a poner en mi dibujo. Espero
que te guste.

Un corazón grande para amar
y ojos para mirar y ver;
dibujaré dos oídos para escuchar.
Que sea como tú y yo.
Añadiré dos manos para que ayuden.
También una boca para reír.

Ahora apunta todas las cosas
especiales que tu amigo
puede hacer.

¿Tienes un amigo especial?
¿Qué prefieren hacer juntos?

Compartiendo la vida

Jesús quiere ser nuestro mejor amigo.

¿Cómo puedes ser un buen amigo de Jesús?

10 Jesus Is Our Friend

Jesus, help us
to live as
Your friends.

Our Life

Read to me
I want to draw a picture of
The best friend there could be.
Here's what I'll put in the picture.
I hope you will agree.

A great big heart for loving,
And eyes to look and see;
I'll draw two ears for listening,
To be like you and me.

I'll add two hands for helping,
A mouth for smiling, too.
Now count the many special things
That your best friend can do!

Sharing Life

Do you have a best friend?
What do you like to
do together?

Jesus wants to be your best friend.
How does that make you feel?

How can you be a good friend
to Jesus?

NuesTra Fe
CaTolica

Jesús es nuestro amigo

Jesús amó y se preocupó por todo el mundo.
El abrazó a los niños. Sanó a los enfermos.
Consoló a los tristes y a los que tenían miedo.
Se preocupó en forma especial de los pobres.

Jesús se preocupó por los difíciles de amar.
El fue justo con todo el mundo.
El amó hasta a los que no le amaron.

Jesús dijo: "Amen a sus enemigos.
Hagan el bien a los que los odian".

Basado en Lucas 6:27

Jesus Is Our Friend

Jesus loved and cared for everyone.
He hugged little children.
He healed people who were sick.
He helped people who were sad or afraid.
He cared especially for poor people.

Jesus cared for people who were
not easy to love.
He was fair to everyone.
He even loved those who hated Him.

Jesus said:
"Love your enemies.
Do good to those who hate you."

From Luke 6:27

Orar es hablar y escuchar a Dios.

Jesús es el mejor amigo que podemos tener. Algunas veces nos sentimos solos o con miedo. Pero nunca estamos solos. Jesús siempre está con nosotros.

Siempre podemos hablar o rezar a Jesús. Podemos decirle que le amamos. Darle gracias por ser nuestro mejor amigo.

Podemos pedirle que nos ayude. Si hacemos algo mal, podemos decir a Jesús que lo sentimos. El siempre nos perdona.

Podemos rezar en cualquier lugar, en cualquier momento. Podemos rezar en la mañana, en la noche, antes o después de las comidas.

Jesús escucha nuestras oraciones.

Prayer is talking and listening to God.

Jesus is the best friend we can have.
Sometimes we feel alone or afraid.
But we are never really alone.
Jesus is always with us.

We can always talk or pray to Jesus.
We can tell Jesus we love Him.
We can thank Him for being
our best friend.

We can ask Jesus to help us and others.
If we do things that are wrong, we
can tell Jesus we are sorry.
Jesus always forgives us.

We can pray anywhere, anytime.
We can pray in the morning,
at night, or before we eat.

Jesus always hears our prayers.

Acercandote a la Fe

Reza de esta nueva forma.
Imagina que eres un niño
sentado en las piernas de Jesús.
Di a Jesús lo que más te gusta
de estar con él.

Viviendo la Fe

He aquí una oración que puedes rezar:

Jesús, mi mejor amigo, estás siempre aquí,
me enseñas como compartir,
como comprender.
He aprendido contigo que los amigos son
para amarse y cuidarse unos a los otros.

Ahora mira la fotografía en esta
página. Enciérrala en un círculo para
mostrar que vas a rezar a Jesús.

COMING TO FAITH

Pray this new way.
Imagine that you are the child
on Jesus' lap.
Tell Jesus what you like best
about being His friend.

PRACTICING FAITH

Here is a prayer to be prayed
with your friends.

Jesus, my best friend,
Oh, You are always there.
You show me how to share,
You show me how to care.
Oh, You're my best friend,
I've learned what friends
    are for —
To love and share and care
Forever more!

Now look at the pictures on
this page. Circle the ones
that show when you will pray
to Jesus.

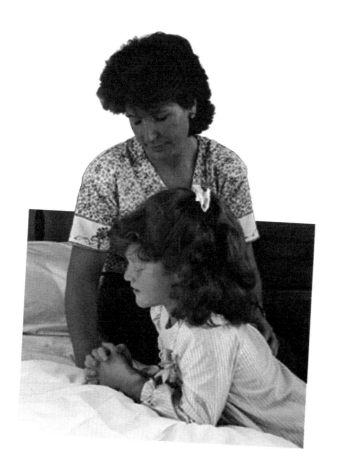

99

REPASO

Encierra en un círculo la respuesta correcta.

1. Cuando hablas y escuchas a Dios estás _____.

     trabajando   orando   estudiando

2. Jesús _____ a los enfermos.

     dejó solos   sanó   habló

3. Cuando nos arrepentimos Jesús _____ nos perdona.

     siempre   algunas veces   nunca

4. Jesús dijo: "Ama a tus _____".

     enemigos   vacaciones   tareas

5. ¿Qué dirás a Jesús hoy?

FE VIVA EN EL HOGAR Y EN LA PARROQUIA

En esta lección los niños aprendieron que Jesús es nuestro amigo y sanador. Jesús llegó a todo el mundo y afirmó la bondad en cada individuo. Eso es lo que se llama ser un sanador. El sanó impedimentos físicos, y más importante, impedimentos espirituales con su toque sanador de perdón. Podemos experimentar la sanación de Jesús en los sacramentos de la Reconciliación, la Eucaristía y la Unción de los Enfermos, así como en la comunidad cristiana, las obras de caridad, la justicia y la oración.

Resumen de la fe

- Jesús cuida de todo el mundo.
- Podemos rezar a Jesús como nuestro amigo.

REVIEW ■ TEST

Circle the correct answer.

1. Prayer is talking and listening to _____ .

(God)   Peter   John

2. Jesus _____ people who were sick.

left alone   (healed)   talked about

3. When we are sorry, Jesus _____ forgives us.

always   (sometimes)   never

4. Jesus said, "Love your _____ ."

(enemies)   vacation   homework

5. What is one thing you will tell Jesus today?

FAITH ALIVE AT HOME AND IN THE PARISH

In this lesson your child met Jesus as our friend and healer. Jesus reached out to everyone He met and affirmed the goodness in each one. That is being a healer! He healed physical ailments but even more importantly, He healed spiritual sicknesses with the healing touch of forgiveness. We can experience the healing of Jesus in the sacraments of Reconciliation, Eucharist, and Anointing of the Sick, as well as in the Christian community, in works of charity and justice, and in prayer.

Faith Summary

● Jesus cares for all people.

● We can pray to Jesus our friend.

11 Jesús es nuestro maestro

Jesús, enséñanos a amar.

Nuestra Vida

Léeme

En el autobús escolar ayer, Lía me enseñó un juego de manos. Lía me dijo: "Mi padre me lo enseñó anoche y me dijo que mi abuela se lo enseñó a él cuando tenía más o menos nuestra edad".

Ahora estoy esperando ver a mi primo para enseñárselo.

Habla de algunas cosas buenas que tu familia te ha enseñado.

¿Qué puedes enseñar a un amigo?

Compartiendo la Vida

¿Te gusta aprender nuevas cosas? ¿Por qué?

¿Te gusta compartir lo que aprendes? ¿Por qué?

¿Puedes pensar en algo que Jesús te ha enseñado?

11 Jesus Is Our Teacher

Our Life

Read to me
In the school bus yesterday Lia taught me a hand game. Lia said, "Dad taught me last night. He said my grandmother taught it to him when he was our age."

Now I can't wait to show my cousin the next time I see him.

Talk about some good things your family has taught you.

What can you teach a friend?

Sharing Life

Do you like to learn new things from others? Why?

Do you like to share what you learn? Why?

Can you think of something Jesus has taught you?

Jesús enseñó al pueblo que Dios es como un padre amoroso.
Dios nos ama y cuida de nosotros, sin importar lo que hagamos.

Un día los amigos de Jesús les dijeron: "Enséñanos a orar". Jesús les dijo: "Cuando oren llamen a Dios, 'Padre'".

Basado en Lucas 11:1–2

He aquí la oración que Jesús les enseñó:

† Padre nuestro, que estás en el cielo,
santificado sea tu nombre;
venga a nosotros tu reino;
hágase tu voluntad, en la tierra
como en el cielo.
Danos hoy nuestro pan de cada día,
perdona nuestras ofensas,
como también nosotros perdonamos
a los que nos ofenden;
no nos dejes caer en tentación,
y líbranos del mal.
Amén.

OUR CATHOLIC FAITH

Jesus taught people that God is like a loving parent.
God loves us and cares for us, no matter what we do.

One day Jesus' friends said, "Teach us to pray."
Jesus said, "When you pray, call God 'Father.' "

From Luke 11:1–2

Here is the prayer Jesus taught them.

† Our Father, who art in heaven,
hallowed be Thy name;
Thy kingdom come;
Thy will be done on earth
as it is in heaven.
Give us this day our daily bread;
and forgive us our trespasses
as we forgive those
who trespass against us;
and lead us not into temptation,
but deliver us from evil.
Amen.

La **Ley del Amor** nos enseña a amar a Dios y a los demás como a nosotros mismos.

La Ley del Amor

Jesús quiere que amemos a Dios y a los demás cómo nos amamos a nosotros mismos.

Léeme de la Biblia

Un día, un hombre vino a Jesús y le preguntó cómo quiere Dios que vivamos. Jesús le contestó: "Ama a Dios sobre todas las cosas y al prójimo como a ti mismo". Basado en Marcos 12:29–31

Así es como Dios quiere que vivamos: Le llamamos la Ley del Amor. Mostramos nuestro amor a Dios amando a otros de la misma forma que nos amamos a nosotros mismos. ¡Qué feliz sería el mundo si viviéramos la Ley del Amor! De todas las cosas buenas que podemos hacer, Jesús dijo que el amor era la más importante de todas.

The **Law of Love** teaches us to love God and others as we love ourselves.

The Law of Love

Jesus wants us to love God, and to love others as we love ourselves.

Read to me from the Bible
One day, a man came to Jesus.
He asked Jesus how God wants us
to live.
Jesus said, "Love God above all things.
Love other people as you
love yourself."
From Mark 12:29–31

This is how God wants us to live.
We call it the Law of Love.
We are to show our love for God
by loving others as we love ourselves.
What a happy world this would be
if we lived the great Law of Love!
Of all the good things that we can do,
Jesus said, love is the best thing of all.

107

ACERCANDOTE A LA FE

He aquí algunas de las cosas que
Jesús nos enseñó para que nos amemos.

En un círculo tómense de las manos.
Túrnense para ir al centro del círculo.

Dramaticen las formas en que podemos
mostrar amor. Nota si tus amigos pueden
nombrar cada forma de amar.

VIVIENDO LA FE

Sigue en el círculo con tus amigos.
Recen un Padre Nuestro.

Reza esta oración en la misa
junto a los feligreses de tu parroquia.
Practica el Padre Nuestro hasta que
lo aprendas de memoria.

Coming To Faith

Here are some ways Jesus taught us to love.

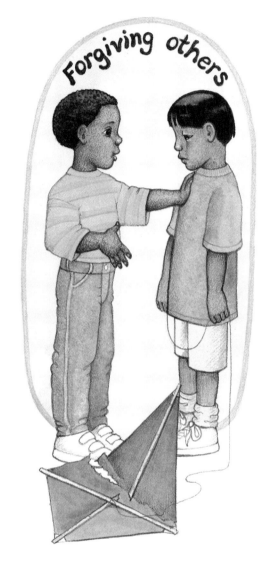

Forgiving others

Being kind to the poor

Join your hands in a circle.
Take turns going into the middle of the circle.
Act out how we can show love.
See if your friends can name each loving way.

Practicing Faith

Stay in your friendship circle.
Pray the Our Father together.

Pray this prayer at Mass with the people in your parish.
Practice saying the Our Father until you know it by heart.

Praying to God

REPASO

Encierra en un círculo la respuesta correcta.

1. Debemos amar a Dios, a los demás y a nosotros mismos. Esta es la Ley de _____.

(la vida)   el Amor   la Biblia

2. La oración que Jesús nos enseñó es el _____.

Aleluya   Ave María   (Padre Nuestro)

3. El amor de Dios por nosotros _es para siempre_.

termina   (es para siempre)   dura un día

4. ¿Quién te enseña a amar a Dios?

FE VIVA EN EL HOGAR Y EN LA PARROQUIA

En esta lección los niños aprendieron la gran Ley del Amor, que nos enseña que debemos amar a Dios sobre todas las cosas y a los demás como a nosotros mismos. Esta ley es también llamada el gran mandamiento. Su niño también aprendió el Padre Nuestro, la oración que Jesús nos enseñó. El *Catecismo de la Iglesia Católica* nos recuerda que el Padre Nuestro es un resumen del evangelio y modelo de oración cristiana.

Resumen de la fe

- Dios es como un padre amoroso.
- Jesús nos enseñó la Ley del Amor.

REVIEW ▪ TEST

Circle the correct answer.

1. We are to love God and others as we love ourselves. This is the Law of _____ .

    (Life)   Love   Bible

2. The prayer Jesus taught is the _____ .

    Alleluia   Hail Mary   Our Father

3. God's love for us will _____ .

    end   last forever   last a day

4. Tell one way that Jesus taught us to love.

FAITH ALIVE AT HOME AND IN THE PARISH

In this lesson your child learned the great Law of Love, which teaches that we must love God above all things and must love others as we love ourselves. It is often called the great commandment. Your child has also learned the Our Father—the prayer that Jesus Himself taught. The *Catechism of the Catholic Church* reminds us that the Our Father is a summary of the whole gospel and the model for Christian prayer.

Faith Summary
- God is like a loving Father.
- Jesus taught us the Law of Love.

12 Jesús se da a sí mismo

Gracias Jesús, por entregarte a nosotros.

NUESTRA VIDA

Algunos abuelos viven lejos. Aquí ofrecemos algunas formas en las que les puedes decir que los amas:

Telefoneas un beso.

Envía un abrazo por correo.

Escribe una tarjeta.

Haz una oración.

Encierra en un círculo la que harás.
¿Qué otra cosa puedes hacer?

¿Crees que esto pondrá a los abuelos contentos?

COMPARTIENDO LA VIDA

¿Cómo recuerdas a tus amigos cuando están lejos?

¿Quiere Jesús que le recuerdes? ¿Por qué?

12 Jesus Gives Us Himself

OUR LIFE

Some grandmas and grandpas
live far away.
Here are ways to tell them
we love them.

Phone a kiss.

Mail a hug.

Write a card.

Say a prayer.

Circle one you can do.
What else can you do?

Will it make your Grandma
or Grandpa happy?

SHARING LIFE

How do you remember
your friends when they
are away?

Does Jesus want you to
remember Him? Tell why.

113

Léeme de la Biblia

La noche antes de morir, Jesús compartió una comida especial con sus amigos. La recordamos como la última Cena.

Durante esa comida Jesús tomó pan, dio gracias a Dios, lo partió y se lo dio a sus discípulos diciendo: "Este es mi cuerpo".

Jesús tomó la copa de vino, nuevamente dio gracias, pasó la copa a sus amigos y dijo: "Esta es mi sangre".

El pan y el vino se convirtieron en el Cuerpo y la Sangre de Jesús.

Entonces Jesús dijo: "Hagan esto en memoria mía".
Basado en Lucas 22:14–20

Jesús se dio a sí mismo

Jesús quiere que le recordemos. El quiere estar siempre con nosotros. He aquí lo que él hizo.

A este día le llamamos Jueves Santo.

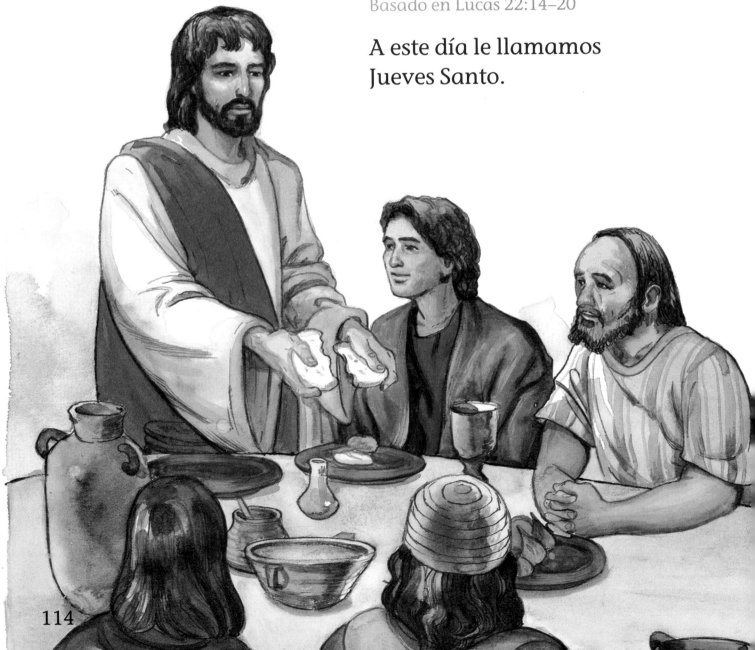

Jesus Gives Us Himself

Jesus wanted us to remember Him.
Jesus wanted to be with us always.
This is what He did.

Read to me from the Bible

The night before Jesus died, He had a special meal with His friends. We call this meal the Last Supper.

During the meal, Jesus took bread. He gave thanks to God. He broke the bread. He gave it to His friends and said, "This is My Body."

Jesus took a cup of wine. He gave thanks again. He gave the cup to His friends and said, "This is the cup of My Blood."

The bread and wine became the Body and Blood of Jesus.

Then Jesus said,
"Do this in memory of Me."
From Luke 22:14–20

We call this day Holy Thursday.

Sagrada comunión es recibir el Cuerpo y la Sangre de Cristo.

Al día siguiente Jesús fue clavado en la cruz y murió por nuestros pecados. A este día lo llamamos Viernes Santo.

El Domingo de Pascua, Dios resucitó a Jesús de la muerte.

Jesús está con nosotros hoy. Cada vez que vamos a misa, él nos da el regalo de sí mismo.

El nos dio su cuerpo y sangre. El Cuerpo y la Sangre de Jesús es la sagrada comunión.

116

Holy Communion is the Body and Blood of Christ.

The next day Jesus was nailed
to a cross and died for us.
We call this day Good Friday.

On Easter Sunday, God raised Jesus
from the dead.

Jesus is with us today.
Each time we go to Mass,
He gives us the gift of Himself.

He gives us His Body and Blood.
We call the Body and Blood of Jesus
Holy Communion.

ACERCANDOTE A LA FE

Imagina que tú y tus amigos están
en la última Cena. Di lo que
escuchas a Jesús decir.

Luego en silencio.
Pon tu mano derecha sobre tu corazón.
Di a Jesús como te sientes.

VIVIENDO LA FE

Escucha en la misa la historia
de lo que hizo Jesús en la última Cena.

Piensa en algo que harás esta semana
para dar gracias a Jesús por
el regalo de sí mismo.

COMING TO FAITH

Imagine you and your friends are
at the Last Supper.
Tell what you hear Jesus say.

Then be very quiet.
Put your right hand over your heart.
Tell Jesus how you feel.

PRACTICING FAITH

Listen at Mass for the story of
what Jesus did at the Last Supper.

Think of something to do this week
to thank Jesus for the gift of Himself.

REPASO

Colorea el círculo al lado de la respuesta correcta.

1. Dios resucitó a Jesús de entre los muertos el _____.
   ○ Domingo de Resurrección   ○ Jueves Santo
   ◉ Viernes Santo

2. Jesús nos dio su Cuerpo y Sangre en _____.
   ○ la tumba   ○ la última Cena   ◉ Navidad

3. Recibimos el cuerpo y la sangre de Cristo en _____
   ○ la Biblia   ○ la sagrada comunión   ◉ en la cruz

4. En tus propias palabras explica lo que sucedió en la última Cena.

EN EL HOGAR Y EN LA PARROQUIA

En esta lección los niños aprendieron lo que sucedió el Jueves Santo (la última Cena), El Viernes Santo (la crucifixión) y el Domingo de Resurrección (la resurrección). El tiempo desde el Jueves Santo al atardecer hasta la tarde del Domingo de Resurrección es llamado Triduo Pascual. Triduo es el tiempo más importante del año de la Iglesia. Por la muerte y resurrección de Jesús compartimos la nueva vida de Jesús. Cada uno de nosotros es llamado a pasar de la muerte a la vida eterna.

La última Cena
Ayude al niño a dibujar la última Cena. Recuérdele esta semana en la misa escuchar la historia de lo que Jesús hizo en la última Cena.

Resumen de la fe
- Jesús nos da el regalo de sí mismo en la sagrada comunión.
- Jesús murió y resucitó de la muerte.

REVIEW ■ TEST

Fill in the circle beside the correct answer.

1. God raised Jesus from the dead on _____.
   ○ Easter   ◉ Holy Thursday   ○ Good Friday

2. Jesus gave His Body and Blood at _____.
   ○ the tomb   ○ the Last Supper   ◉ Christmas

3. We receive Jesus' Body and Blood _____.
   ○ in the Bible   ○ in Holy Communion   ◉ on the cross

4. Tell in your own words what happened at the Last Supper.

FAITH ALIVE AT HOME AND IN THE PARISH

In this lesson your child learned about what happened on Holy Thursday (the Last Supper), Good Friday (the crucifixion), and Easter Sunday (the resurrection). The time from Holy Thursday evening to Easter Sunday evening is called the Easter Triduum. The Triduum is the most important time in the Church's liturgical year. Because of Jesus' death and resurrection, we share His new life. Every one of us is called to pass from death to eternal life.

The Last Supper

Help your child make a drawing showing what Jesus did at the Last Supper. Let him or her tell you what is in the picture. At Mass this week remind your child to listen carefully for the story of what Jesus did at the Last Supper. You might alert your child to listen well as the Eucharistic Prayer begins.

Faith Summary

● Jesus gives us the gift of Himself in Holy Communion.

● Jesus died and rose from the dead.

121

13 Adviento

NUESTRA VIDA

Léeme esto

La abuela viene esta noche.
No viene a pie, viene en coche.

Es su cumpleaños.
Y de forma especial
vamos a celebrar.

Estoy contento.
No puedo esperar.
Que llegue la abuela,
para celebrar.

¿Has ayudado alguna vez a preparar una celebración? ¿Qué hiciste?

COMPARTIENDO LA VIDA

¿Qué te gusta de las celebraciones?

¿Qué sientes cuando esperas una celebración? Cuéntanos.

13 Advent

OUR LIFE

Read to me
Nana is coming
To visit tonight,
When the stars are out
And the moon is bright.

It's Nana's birthday
So we cleaned all day,
Getting ready for her
In a special way.

I'm so excited!
I can hardly wait!
When Nana's here,
We'll celebrate.

Do you ever help get ready
for a special celebration?
What do you do?

SHARING LIFE

What do you like best about
celebrations?

How do you feel when you
are waiting to celebrate?
Tell about it.

¿Recuerdas la historia de la Biblia sobre el primer hombre y la primera mujer? Ellos se alejaron de Dios. Pero Dios no dejó de amarlos. Dios prometió enviar a alguien que mostrara al pueblo como vivir como sus amigos.

El pueblo esperó muchos, muchos años. Dios cumplió su promesa enviando a su propio Hijo, Jesús.

Todos los años recordamos y celebramos el nacimiento de Jesús en Navidad. Continuamos esperando la segunda venida de Jesús. Adviento es el nombre que damos a nuestro tiempo de espera antes de Navidad.

Our Catholic Faith

Do you remember the Bible story of the first man and woman? They turned away from God. But He did not stop loving them. God promised to send someone to show people how to live as His friends.

The people waited many, many years. God kept His promise by sending His own Son, Jesus.

Each year we remember and celebrate Jesus' birth on Christmas. We continue to wait until Jesus will come again. Advent is the name we give to our waiting time before Christmas.

Hacemos cosas juntos para prepararnos para la venida de Jesús. Rezamos. Encendemos velas que nos recuerdan que Jesús es nuestra luz. Jesús entrará en nuestros corazones, en forma especial, en Navidad.

Lee este mensaje de Adviento en la Biblia.

Ven, Señor Jesús.
Que el Señor Jesús esté con todos.

Basado en Apocalipsis 22:20–21

We do things to get ready for the coming of Jesus. We pray to Jesus. We light candles to remind us that Jesus is our light. Jesus will come into our hearts in a special way at Christmas.

Read the words of this Advent message from the Bible.

Come, Jesus, come!
May the Lord Jesus
be with everyone.

Revelation 22:20–21

Acercándote a la Fe

Reza esta oración durante
las cuatro semanas de Adviento.
Te ayudará a rezar a Jesús,
mientras te preparas para la Navidad.

Jesús tráeme tu luz.
Ven a iluminar la oscuridad.
Jesús, ven a guiar mi camino, ayúdame
a compartir con otros todos los días.
Jesús, sé mi luz.
Ven a iluminar la oscuridad.

Viviendo la Fe

¿Cómo compartirás y ayudarás durante
este Adviento? Estas fotografías pueden
ayudarte a decidir.

Haz un calendario de adviento.
Colorea una estrella cada día que hagas
algo que ilumine el camino de Jesús.

128

Coming To Faith

Sing this song during the four weeks of Advent. It will help you pray to Jesus as you get ready for Christmas.
(To the tune of "Twinkle, Twinkle")

Jesus, Jesus, be our light.
Come to make the darkness bright.
Jesus, come and guide our way,
Help us care and share each day.
Jesus, Jesus, be our light.
Come to make the darkness bright.

Practicing Faith

How will you help and share in Advent?
The picture may help you decide.

Make an Advent calendar.
Color a star each day you do something to light the way for Jesus.

REPASO

Encierra en un círculo **Si** o **No**. Encierra el signo **?**
si no estás seguro.

1. Adviento es lo mismo que Navidad.   **Si**   **No**   **?**

2. Dios prometió enviarnos a su Hijo.   **Si**   **No**   **?**

3. Dios cumplió su promesa enviando
a Jesús.   **Si**   **No**   **?**

4. En Adviento nos preparamos para la
Pascua de Resurrección.   **Si**   **No**   **?**

5. Escribe algo que harás para prepararte para celebrar el
nacimiento de Jesús.

EN EL HOGAR Y EN LA PARROQUIA

En esta lección a los niños se les explicó la liturgia del tiempo de Adviento como tiempo de espera y preparación para la venida de Jesús. Para los católicos el Adviento tiene doble propósito. Es el tiempo en que nos preparamos para Navidad cuando celebramos la primera venida del Hijo de Dios. Es también el tiempo en que pensamos en la segunda venida de Cristo al final de los tiempos. Es pues, un tiempo de gozo y esperanza.

Resumen de la fe

● Adviento es el tiempo de espera para la celebración del nacimiento de Jesús en Navidad.

● Nos preparamos para la Navidad rezando y ayudando a los demás.

REVIEW ■ TEST

Circle **Yes** or **No**.
Circle **?** if you are not sure.

1. Advent is the same as Christmas.　　**Yes**　**No**　**?**

2. Candles remind us that Jesus
is our light.　　**Yes**　**No**　**?**

3. God kept God's promise by
sending Jesus.　　**Yes**　**No**　**?**

4. In Advent we prepare for Easter.　　**Yes**　**No**　**?**

5. Tell one thing you will do to prepare
to celebrate Jesus' birth.

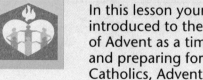

FAITH ALIVE AT HOME AND IN THE PARISH

In this lesson your child was introduced to the liturgical season of Advent as a time of waiting and preparing for Jesus. For Catholics, Advent has a dual purpose. It is a time to prepare for Christmas, when we celebrate the first coming of God's Son. It is also a time to turn our minds to Christ's second coming at the end of time. It is, therefore, a season of joy and expectation.

Faith Summary
- Advent is a time of waiting to celebrate Jesus' birth at Christmas.
- We prepare for Christmas by praying and helping others.

Jesús,
te acogemos en
nuestros
corazones.

NUESTRA VIDA

Canten Noche de Paz bien despacio.
Deseamos acoger a Jesús en nuestros
corazones.

♫ Noche de Paz, noche de amor.
Todo duerme en derredor.
Entre los astros que esparcen su luz,
bella anunciando al niñito Jesús
brilla la estrella de paz
brilla la estrella de paz. ♫

Habla de lo que sentiste al cantar esta
canción.
¿Qué dice la canción acerca de la noche
en que Jesús nació?

COMPARTIENDO LA VIDA

Imagina que estás en Belén en la primera
Navidad. Cuéntanos lo que ves y oyes.

14 Christmas

Jesus,
we welcome You
into our hearts.

OUR LIFE

Sing "Silent Night" very softly.
We wish to welcome Jesus into our hearts.

♫ Silent night, holy night,
All is calm, all is bright;
Round yon Virgin Mother and Child!
Holy Infant so tender and mild,
Sleep in heavenly peace,
Sleep in heavenly peace. ♫

Tell about your feelings as you sing
this song.
What do the words of the song say
about the night Jesus was born?

SHARING LIFE

Imagine you are there in Bethlehem
on the first Christmas.
Tell what you see and hear.

133

Una obra de teatro sobre la Navidad

Narrador: En esos días el rey envió una carta informando que todo el mundo debía ser contado. María y José fueron a Belén. María estaba esperando un bebé.

José: María, ya estamos llegando. Debes estar cansada. Vamos a parar en la posada (tocando la puerta).

Posadero: ¿Qué quieres?

José: Necesitamos un lugar para descansar.

Posadero: No tenemos lugar aquí. Puedes quedarte en el establo en el patio.

Narrador: José y María fueron al establo. Esa noche nació Jesús. En los alrededores algunos pastores estaban cuidando sus ovejas. De repente una luz brillante llenó el cielo y unos ángeles aparecieron.

Angeles: No teman. Traemos buenas noticias. Ha nacido un salvador. Encontrarán a un bebé en un establo en Belén.

Narrador: Los pastores fueron a Belén. Allí encontraron a María, a José y al niño Jesús en el establo.

Basado en Lucas 2:1–16

134

OUR CATHOLIC FAITH

A Christmas Play

Narrator: In those days, a letter went out from the king that all the people should be counted. Mary and Joseph went to Bethlehem to do this. Mary was expecting a baby.

Joseph: Mary, we are almost there. You must be tired. Let's stop at the inn. (knocks at the door)

Innkeeper: What do you want?

Joseph: We need a place to rest.

Innkeeper: There is no room for you here. You can stay in the stable in the back.

Narrator: So Joseph and Mary went to the stable. During the night, Jesus was born. Nearby shepherds were caring for their sheep. Suddenly a bright light filled the sky. Angels appeared to them.

Angels: Do not be afraid. We have good news. The Savior is born. You will find a baby in a stable in Bethlehem.

Narrator: The shepherds went to Bethlehem. They found Mary, Joseph, and the baby Jesus in the stable.

From Luke 2:1–16

Acercandote a la Fe

Jesús vino a traernos luz y amor. Queremos compartir su luz y su amor con otros. Vamos a hacer una vela de navidad.

Reúnanse alrededor del nacimiento, con una vela al tiempo que rezan.

† **Guía:** Bienvenido Jesús, a nuestros corazones hoy y siempre.
Todos: Bienvenido Jesús, a nuestros corazones.

Guía: Ayúdanos a compartir la luz de tu amor con otros.
Todos: Bienvenido Jesús, a nuestro mundo.

Todos: Canten "Noche de Paz", despacio.

Viviendo la Fe

Jesús está con nosotros hoy. ¿Cómo compartiremos la luz de Jesús con otros en Navidad y todos los días?
Dibuja aquí una forma.

COMING TO FAITH

Jesus came to bring us light and love. We want to share His light and love with others. Let us make a Christmas candle.

Gather around the Christmas crib, with your candle, as we pray.

†**Leader:** Welcome, Jesus, into our hearts today and always.
All: Welcome, Jesus, into our hearts.

Leader: Help us share the light of Your love with others.
All: Welcome, Jesus, into our world.

All: Sing "Silent Night" prayerfully.

PRACTICING FAITH

Jesus is with us today. How will you share Jesus' light and love with others on Christmas and every day?
Draw one of the ways here.

REPASO

Numera el orden en que pasó la historia. Escribe el número en el cuadro al lado de la oración.

Una fue contestada para ayudarte.

| 5 | Los pastores encontraron a María, a José y al niño Jesús en el establo. |

| **1** | María y José fueron a Belén para ser contados. |

| 4 | Unos ángeles dieron la noticia a los pastores. |

| 3 | Jesús nació durante la noche. |

| 2 | No había lugar en la posada y José y María se fueron a un establo. |

FE VIVA EN EL HOGAR Y EN LA PARROQUIA

En esta lección a los niños se les habló de la historia de la Navidad con música, drama y oración. El nacimiento de Jesús es a la vez un evento histórico y una realidad espiritual. San Francisco de Asís nos dice que, en forma espiritual, Jesús nace en cada uno de nosotros. Eso significa que podemos mostrar a otros las huellas de Jesús por medio de nuestras oraciones y buenas obras. Jesús está presente en el mundo por medio de nuestras vidas.

Resumen de la fe

- Jesús nació en Belén.
- Jesús quiere que compartamos su amor con otros.

REVIEW ▪ TEST

Show the order in which the story happened.
Put a number in the box beside each sentence.

One box is done for you.

| 5 | The shepherds found Mary, Joseph, and the baby Jesus in the stable. |

| 1 | Mary and Joseph went to Bethlehem to be counted. |

| 4 | Angels told good news to the shepherds. |

| 3 | During the night Jesus was born. |

| 2 | There was no room at the inn so Mary and Joseph went to a stable. |

FAITH ALIVE ▪ AT HOME AND IN THE PARISH

In this lesson your child was drawn into the Christmas story through music, drama, and prayer. The birth of Jesus is both an historical event and a spiritual reality. Saint Francis of Assisi tells us that, in a spiritual way, Jesus is born in each of us. This means that we show others the way of Jesus through our prayer and good works. In our lives we help make Jesus present in the world.

Faith Summary
- Jesus was born in Bethlehem.
- Jesus wants us to share His love with others.

15 El Espíritu Santo

NUESTRA VIDA

La leche se derramó.
El teléfono sonó.
El bebé lloró.
El perro ladró.

Todo sucedió al mismo tiempo.
La mamá de José no sabía
que hacer primero.
"No te preocupes mamá", dijo José.
"Te voy a ayudar".

Termina la historia. Explica algunas
de las cosas que José pudo haber hecho
para ayudar.

Cuéntanos de un día en que ayudaste a
alguien.

COMPARTIENDO LA VIDA

Háblanos de un día en que necesitaste ayuda
de alguien.
¿Has pedido ayuda a Dios alguna vez?

15 The Holy Spirit

OUR LIFE

The milk spilled.
The phone rang.
The baby cried.
The dog barked.

Everything happened
at the same time!
José's mother didn't know
what to do first.

"Don't worry, Mom," said José.
"I'll help you!"

Finish the story. Name some
things that José could do
to help.

Tell about times when you
help someone.

SHARING LIFE

Tell about a time when you
needed someone to help you.
Do you ever ask God for help?

141

El Espíritu Santo viene

Jesús sabía que sus amigos
necesitarían ayuda. Jesús prometió
enviarles un defensor. "Les enviaré
al Espíritu Santo para que les ayude
a recordar todo lo que les he dicho".

Basado en Juan 14:26

Esta es la historia de la Biblia que nos
dice que Jesús cumple su promesa.

Léeme de la Biblia

Los amigos de Jesús esperaban el defensor
que Jesús les había prometido. María, la madre
de Jesús, también esperaba.

De repente, escucharon un ruido como el de
un viento fuerte. Vieron algo parecido a una
llama de fuego tocar a cada uno.

El defensor, el Espíritu Santo, había llegado.
Los amigos de Jesús fueron llenos
del Espíritu Santo de Dios.

Entonces los amigos de Jesús salieron a la
calle y anunciaron la buena nueva de
Jesús a todo el mundo.

Basado en Hechos de los Apóstoles 2:2–6

The Holy Spirit Comes

Jesus knew that His friends
would need a helper.
Jesus promised them,
"I will send you a helper.
The Holy Spirit will help
you remember all that I have said."
From John 14:26

Here is the Bible story of how Jesus
kept His promise.

Read to me from the Bible

The friends of Jesus were waiting for the
helper Jesus had promised. Mary, the
mother of Jesus, was with them.

Suddenly they heard a loud noise like
a wind blowing. They saw what looked
like flames of fire touching each one.

The helper, the Holy Spirit, had come!
The friends of Jesus were filled with
God the Holy Spirit.

Then the friends of Jesus ran outside into
the street. They told all the people the
good news of Jesus.
From Acts 2:2–6

El **Espíritu Santo** es Dios, la tercera Persona de la Santísima Trinidad.

Dios Espíritu Santo ayudó a los amigos de Jesús a recordar todo lo que Jesús había dicho y hecho.

El Espíritu Santo ayudó a los primeros cristianos a comunicar la buena nueva de Jesús a todo el mundo.

Más y más gente creyó en Jesucristo. Ellos se reunían como la Iglesia de Jesús.

La Iglesia es Jesús y sus amigos bautizados unidos por el Espíritu Santo.

El Espíritu Santo ayudó a la Iglesia a empezar. El sigue ayudando a la Iglesia hoy para hacer el trabajo de Jesús.

Eres un seguidor de Jesucristo. Eres un miembro de su Iglesia. El Espíritu Santo también te ayuda a vivir como cristiano.

The **Holy Spirit** is God, the third Person of the Blessed Trinity.

God the Holy Spirit helped the friends of Jesus to remember everything Jesus had said and done.

The Holy Spirit helped the first Christians to tell everyone the good news of Jesus.

More and more people believed in Jesus Christ. They came together as Jesus' Church.

The Church is Jesus and His baptized friends joined together by the Holy Spirit.

The Holy Spirit helped the Church to begin. The Holy Spirit still helps the Church today to do the work of Jesus.

You are a follower of Jesus Christ. You are a member of His Church. The Holy Spirit helps you to live as a Christian, too.

ACERCÁNDOTE A LA FE

Dramaticen la historia de como Jesús cumplió su promesa de enviar al Espíritu Santo.

¿Cómo ayudó el Espíritu Santo a los primeros cristianos?

¿Cómo puede el Espíritu Santo ayudarte?

VIVIENDO LA FE

Cierra los ojos. Imagínate que eres las cintas de este dibujo. Tranquilo espera la brisa. Luego flota y vuela lentamente en el viento.

Balancéate, gira, reza al Espíritu Santo mientras te mueves.

† Espíritu Santo ayúdame en todo lo que haga, diga o piense hoy. ¿Rezarás esta oración todos los días de esta semana?

146

COMING TO FAITH

Act out the story about how Jesus kept His promise to send the Holy Spirit.

What help did the Holy Spirit give the first Christians?

How can the Holy Spirit help you today?

PRACTICING FAITH

Close your eyes. Imagine you are the streamers in the picture. Stand still waiting for the wind. Then flutter and fly gently in the wind.

Sway back and forth or twirl around. Pray to the Holy Spirit as you move.

† Holy Spirit, help me today in all I think and do and say!

Will you say this prayer each day this week?

REPASO

Colorea el círculo al lado de la respuesta correcta.

1. Jesús envió a _____ a la Iglesia.

○ la Navidad   ○ la Santísima Trinidad

◉ el Espíritu Santo

2. El Espíritu Santo es la tercera Persona
de la _____.

○ Navidad   ◉ Iglesia   ○ Santísima Trinidad

3. El Espíritu Santo ayuda a la Iglesia a hacer
el trabajo de _____.

○ Jesucristo   ◉ los ayudantes   ○ María

4. Explica la historia de la venida del Espíritu Santo.

EN EL HOGAR Y EN LA PARROQUIA

Esta semana los niños aprendieron acerca de Dios Espíritu Santo, la tercera Persona de la Santísima Trinidad. El Espíritu Santo es el Consolador que Jesús prometió enviar a sus discípulos. Después de la muerte de Jesús, los discípulos dudaban y tenían miedo. Cuando el Espíritu Santo vino a ellos, en Pentecostés, se llenaron de confianza y valor para proclamar abiertamente y sin miedo su fe en Jesucristo. El Espíritu Santo nos ayuda hoy a vivir y ser testigos de nuestra fe en Jesucristo.

Resumen de la fe

- El Espíritu Santo viene a los amigos de Jesús.
- El Espíritu Santo ayudó a la Iglesia a empezar y nos ayuda a nosotros hoy.

REVIEW ▪ TEST

Fill in the circle beside the correct answer.

1. Jesus sent the _____ to the church.

   ◯ Christians   ◯ Blessed Trinity   ◉ Holy Spirit

2. The Holy Spirit is God, the third Person of _____.

   ◯ Christians   ◯ the Church   ◯ the Blessed Trinity

3. The Holy Spirit helps the Church to do the work of _____.

   ◯ Jesus Christ   ◉ the Helper   ◯ Mary

4. Tell the story of the coming of the Holy Spirit.

FAITH ALIVE ▪ AT HOME AND IN THE PARISH

This week your child learned about God the Holy Spirit, the third Person of the Blessed Trinity. The Holy Spirit is the helper Jesus promised to send His disciples. After the death of Jesus, the disciples were filled with doubt, fear, and regret. But when the Holy Spirit came upon them on Pentecost, they were filled with confidence and courage to proclaim openly and fearlessly their faith in Jesus Christ. The Holy Spirit helps us every day to live and witness to our faith in Jesus Christ.

Faith Summary

- The Holy Spirit came to the friends of Jesus.
- The Holy Spirit helped the Church to begin and helps us today.

16 La Iglesia es para todos

Jesús, qué bueno es pertenecer a tu Iglesia.

NUESTRA VIDA

Mira la fotografía de todos los animales trabajando juntos.

¿Qué crees que están tratando de hacer?

¿Cómo está cada uno tratando de ayudar?

¿Te gusta trabajar con otros?

¿A qué grupo o equipo perteneces?

¿Qué haces?

COMPARTIENDO LA VIDA

¿Por qué la gente necesita trabajar junta algunas veces?

¿Por qué los amigos de Jesús trabajan juntos?

16　The Church Is for Everyone

Jesus, how good it
is to belong
to Your Church!

Our Life

Look at the picture of all the animals working together.

What do you think they are trying to do?

How is each animal helping?

Do you like to work with others?

What team or group do you belong to?

What do you do?

Sharing Life

Why do people sometimes need to work together?

Why should friends of Jesus work together?

151

Pertenecemos a la Iglesia de Jesús

Jesús quiere que amemos a Dios y que vivamos como sus seguidores. El dijo: "Amense unos a otros, como yo los he amado".

Juan 15:12

Cuando Jesús vio a la gente con hambre él les dio de comer. Si estaban tristes él los consolaba.

Cuando Jesús encontró enfermos los ayudó. El se preocupaba por los pobres. El fue justo con todo el mundo. El ayudó a la gente a vivir en paz.

Somos seguidores de Jesucristo. Somos cristianos. Pertenecemos a la Iglesia.

Tratamos de vivir como Jesús vivió. Tratamos de mostrar nuestro amor por los demás. Eso es lo que quiere decir seguidor de Jesús.

We Belong to Jesus' Church

Jesus wants us to love God and to live as His followers. Jesus said, "Love one another just as I have loved you."
John 15:12

When Jesus saw that people were hungry, He fed them. If people were sad, He became their friend.

When Jesus saw sick people, He helped them. He cared about poor people. Jesus was fair to everyone. He helped people to live in peace.

We are followers of Jesus Christ. We are Christians. We belong to the Church.

We try to live as Jesus did. We try to show our love for one another. This is what it means to be followers of Jesus.

Jesús invita a todo el mundo a pertenecer a su Iglesia. Todos en la Iglesia son importantes.

Los primeros líderes de la Iglesia fueron los apóstoles. La gente sirve en la Iglesia en diferentes formas. Nuestro Santo Padre, el papa, es la cabeza de la Iglesia Católica. El papa y los obispos nos dirigen como lo hicieron los apóstoles. Sacerdotes y los diáconos sirven en la Iglesia. Muchas otras personas sirven también a la Iglesia. Piensa en toda la gente que sirve en tu parroquia.

Todos ayudamos a cuidar de la Iglesia. Nos ayudamos unos a otros a vivir como seguidores de Jesucristo.

Jesus invites everyone to belong to His Church. Everyone in the Church is important.

People serve the Church in different ways. The first leaders of the Church were the apostles. Our Holy Father, the pope, is the leader of the whole Catholic Church. The pope and the bishops lead us in the same way as the apostles did. Priests and deacons serve the Church with them.

Many other people serve the Church, too. Think of all the people who help in your parish.

All of us together help care for the Church. We help one another live as followers of Jesus Christ.

ACERCANDOTE A LA FE

¿Quién es la cabeza de
toda la Iglesia?

¿Puedes nombrar una persona
que ayude en la Iglesia?
¿Qué hace esa persona?

Cuéntanos como te sientes de
pertenecer a la Iglesia.

VIVIENDO LA FE

¿Qué harías si una de estas
cosas pasa?

Un compañero olvida
su almuerzo.

Un alumno nuevo tiene
miedo y se siente solo.

Alguien está poniendo
nombre a otro niño.

Tu hermano quiere que
juegues con él.

Di lo que harás hoy para
demostrar que eres un
seguidor de Jesús.

156

COMING TO FAITH

Who is the leader
of the whole Church?

Can you name someone
else who helps the Church?
What does this person do?

Tell how you feel about
belonging to the Church.

PRACTICING FAITH

Tell what you will do
if each of these happens:

A classmate forgets lunch.

A new classmate
is lonely and afraid.

Someone is calling
someone else bad names.

Your younger brother
or sister wants you to play.

Tell what you will do today
to show that you follow Jesus.

REPASO

Colorea el círculo al lado de la respuesta correcta.

1. Jesús invita a todo el mundo a pertenecer
a _____.

○ la parroquia   ○ el papa   ○ la Iglesia

2. La cabeza de toda la Iglesia Católica es el _____.

○ párroco   ○ papa   ○ Espíritu Santo

3. Todos los seguidores de Jesús son
llamados _____.

○ americanos   ○ sacerdotes   ○ cristianos

4. ¿Cómo dijo Jesús que debíamos "amarnos unos a otros"?

EN EL HOGAR Y EN LA PARROQUIA

En esta lección los niños aprendieron como debemos vivir como seguidores de Jesús y miembros de su Iglesia. Aprendieron que Jesús dijo: "Amense unos a otros como yo los he amado" (Juan 15:12). A esto lo llamamos el nuevo mandamiento. Una forma de ayudar a los niños a crecer como discípulos de Jesucristo es darles siempre ejemplos de valores cristianos, tales como: paciencia, honestidad, compasión, verdad, justicia y amor. Podemos ser modelos para ellos

diciendo "lo siento" y pidiendo perdón cuando estamos equivocados o hemos herido a alguien.

Los que ayudan en las parroquias

Hable con su hijo sobre los diferentes talentos de las personas que hacen de la parroquia un lugar especial. Ayúdele a darse cuenta que puede hacer muchas cosas en la parroquia. Mencione algunas.

Resumen de la fe

● Jesús invita a todos a pertenecer a su Iglesia.

● Somos parte de la Iglesia, tratamos de amar a los demás como lo hizo Jesús.

REVIEW ■ TEST

Fill in the circle beside the correct answer.

1. Jesus invites everyone in the world to
belong to _____.
○ my parish   ○ the pope   ○ the Church

2. The leader of the whole Catholic Church
is _____.
○ our pastor   ○ the pope   ○ the Holy Spirit

3. All the followers of Jesus are called _____.
○ Americans   ○ Fathers   ○ Christians

4. How did Jesus say we should "love one another"?

FAITH ALIVE AT HOME AND IN THE PARISH

In this lesson your child learned how we are to live as Jesus' followers and members of His Church. He or she learned that Jesus said, "Love one another just as I have loved you" (John 15:12). We call this the new commandment. One way to help young children grow as followers of Jesus Christ is to provide them with consistent examples of Christian values such as patience, truthfulness, honesty, compassion, justice, and love. We can also be models for them by saying "I'm sorry" and asking for forgiveness when we are wrong or hurt someone.

Parish Helpers

Each person in your parish has different talents. Discuss with your child the different talents that people share to make the parish a special place. Help your child identify that he or she can do many things to help the parish and school. Take time to name a few.

Faith Summary

● Jesus invites everyone to belong to His Church.

● We are part of the Church and try to treat others as Jesus did.

159

Gracias, Dios, por hacernos tus hijos.

NUESTRA VIDA

Léeme

Dora vio al sacerdote poner a Antonio dentro del agua. También escuchó todas las palabras. Al terminar el Bautismo el sacerdote dijo: "Antonio es ahora un hijo de Dios. Démosle la bienvenida a la Iglesia". Todos aplaudieron. La mamá de Dora la miró y le dijo: "Dora, tú también eres hija de Dios".

Dora estaba contenta.
¡También soy hija de Dios! Exclamó.

¿Puedes decir cómo te sientes de saber que eres hijo de Dios?

COMPARTIENDO LA VIDA

Explica por qué crees que tu familia quiso que fueras un hijo de Dios.

17 The Church Celebrates Baptism

Our Life

Read to me

Janie watched the priest place Anthony in the water. She listened to all the words. When the Baptism was over, the priest said, "Anthony is now a child of God. Let us welcome him into the Church." Everyone clapped. Janie's mother turned to her and said, "Janie, you are a child of God too."

Janie was excited. "I'm a child of God, too!" she said.

Can you tell how you feel about being a child of God?

Sharing Life

Tell why you think your family wanted you to become a child of God.

161

El Bautismo nos hace hijos de Dios

Jesús quiere que todos seamos
hijos de Dios.
El quiere que todos tengamos
la vida y el amor de Dios.

Cuando somos bautizados,
nos hacemos hijos de Dios.
Recibimos la vida y el amor de Dios.
A esto lo llamamos gracia.
Nos hacemos parte de la Iglesia.

Los padres católicos quieren
que sus hijos se hagan hijos
de Dios por medio del Bautismo.
Llevan a bautizar sus bebés a la iglesia
de su parroquia. El sacerdote y los presentes
les dan la bienvenida y rezan por ellos.

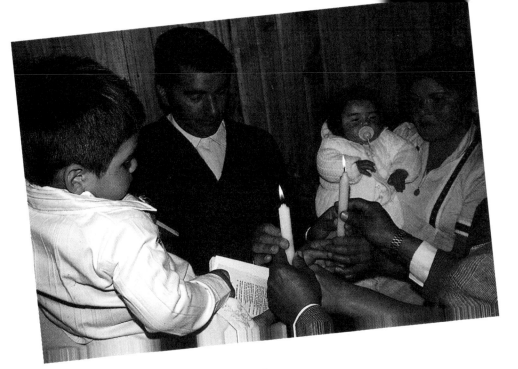

Baptism Makes Us God's Children

Jesus wants everyone to be
a child of God.
He wants everyone to have
God's own life and love.

When we are baptized, we become
God's own children.
We receive God's own life
and love. We call this grace.
We become part of the Church.

Catholic parents want their babies
to become children of God
through Baptism.
They bring their babies to
their parish church.
The priest and the people
welcome and pray for them.

El **Bautismo** nos da la gracia y el amor de Dios.

El sacerdote bautiza al bebé con agua.
Dice: "Yo te bautizo en el nombre del Padre, y del Hijo, y del Espíritu Santo".

El bebé ahora tiene la vida y la gracia de Dios. Es un hijo de Dios y miembro de la Iglesia de Jesús.

Eres bautizado y compartes la vida y la gracia de Dios. Eres un hijo de Dios porque compartes su gracia. Perteneces a la Iglesia.

El Espíritu Santo está contigo. El Espíritu Santo te ayuda a vivir como Jesús nos enseñó.

Basado en Juan 14:16–17

Baptism gives us God's own life and love.

The priest baptizes the baby
with water.
He says, "I baptize you
in the name of the Father,
and of the Son,
and of the Holy Spirit."

The baby now has God's
life of grace. The baby
is a child of God and a
member of Jesus' Church.

You are baptized.
You share in God's life and love.
You are God's child because you
share in his grace.
You belong to the Church.

The Holy Spirit is with you.
The Holy Spirit helps you
to live as Jesus taught us.

From John 14:16–17

165

Somos Hijos de Dios

ACERCANDOTE A LA FE

Imagina que un amigo te pregunta "¿Qué significa ser bautizado?" ¿Qué contestarías?

VIVIENDO LA FE

Celebraremos el ser hijos de Dios. Vamos a ponernos de pie y a aplaudirnos. Saluda a cada persona a tu lado. Ahora, haz la señal de la cruz mientras eres rociado con agua bendita. Esto te recordará el día de tu bautismo.

Recen juntos:

† Gracias, Dios, que por el Bautismo nos hiciste tus hijos.

¿Qué puedes hacer esta semana para mostrar que eres un hijo de Dios?

WE ARE GOD'S CHILDREN

COMING TO FAITH

Imagine a friend asks you,
"What does it mean to be baptized?"
What would you say?

PRACTICING FAITH

We will celebrate being children of God.
Let us stand and clap for each other.
Bow to the person on each side of you.
Now make the sign of the cross
as you are sprinkled with holy water.
This will remind you of the day you
were baptized.

Pray together,
† Thank You, God, for making us Your
children in Baptism.

What can you do this week to show
you are a child of God?

REPASO

Colorea el círculo al lado de la respuesta correcta.

1. _____ nos da la vida y el amor de Dios.

○ la oración ◉ el Bautismo ○ el agua

2. En el Bautismo recibimos la _____ de Dios.

◉ gracia ○ agua ○ parroquia

3. El sacerdote derrama _____ sobre la cabeza del bebé.

○ Jesús ○ luz ◉ agua

4. Escribe algo que harás para mostrar que eres hijo de Dios.

FE VIVA

EN EL HOGAR Y EN LA PARROQUIA

En esta lección se le explicó a los niños que por el Bautismo participamos en la vida y el amor de Dios. Esto es llamado gracia. Por medio del Bautismo somos liberados de la esclavitud del pecado y bienvenidos a ser miembros de la Iglesia, el cuerpo de Cristo. Explique a su hijo que toda persona bautizada tiene la responsabilidad de vivir como discípulo de Jesús. Esto significa que vivimos nuestra fe en Jesús todos los días. También significa velar por los que tienen necesidades y los que son tratados injustamente. Su ejemplo viviendo su propio bautismo ayudará al niño a crecer en la fe.

Resumen de la fe

● Compartimos la vida de Dios cuando somos bautizados.

● El Bautismo nos hace hijos de Dios y miembros de la Iglesia de Jesús.

REVIEW ▪ TEST

Fill in the circle beside the correct answer.

1. _____ gives us God's own life and love.

○ Prayer   ○ Baptism   ○ Water

2. In Baptism we receive God's special life
of _____ .

○ grace   ○ water   ○ parish

3. The priest pours _____ over the baby's head.

○ Jesus   ○ light   ○ water

4. Tell one thing you will do to show you are
God's child.

FAITH ALIVE AT HOME AND IN THE PARISH

In this lesson your child learned that Baptism gives us a share of God's own life and love. We call this grace. Through Baptism we are freed from the slavery of sin and welcomed as members of the Church, the body of Christ. Explain to your child that every baptized person has the responsibility to live as a follower of Jesus. This means that we live our faith in Jesus every day. It also means caring for those in need and those who are treated unjustly. Your example in living your own Baptism will help your child grow in living the faith.

Faith Summary

● We share in God's own life when we are baptized.

● Baptism makes us children of God and members of Jesus' Church.

18 La Iglesia celebra

(El inicio de la misa)

Gracias,
Jesús,
por la misa.

NUESTRA VIDA

Los animales han terminado de ayudar a los topos a construir una presa. Han decidido celebrarlo.

¿Qué crees que hizo cada animal para preparar la celebración?

¿Cuál es tu celebración en familia favorita? ¿Cómo ayudas?

COMPARTIENDO LA VIDA

Imagina la mejor celebración que puedas tener.

¿Quiénes estarán presentes?

¿Qué habrá para comer?

¿Qué te pondrás?

¿Qué harás?

18 The Church Celebrates

(The Mass Begins)

OUR LIFE

The animals have finished helping
the beavers build a dam.
They have decided to celebrate.

Tell what you think each animal
did to get ready for the celebration.

What is your family's favorite
celebration? How do you help?

SHARING LIFE

Imagine the best celebration ever.

Who would be there?

What would there be to eat?

What would you wear?

What would you do?

Nos reunimos para celebrar

La misa es la gran celebración que Jesús nos dio. Todo en ella es especial.

Jesús está con cada uno de nosotros al momento de celebrar la misa. Nos reunimos con familiares y amigos los sábados en la tarde o el domingo.

Celebramos la misa junto con los amigos de Jesús. El sacerdote dirige la misa de nuestra comunidad parroquial.

Nos reunimos alrededor de una mesa especial. Esta mesa se llama altar.

Un plato y una copa especiales son usados para el pan y el vino. El plato es llamado patena y la copa cáliz.

We Gather to Celebrate

The Mass is the great celebration
that Jesus gave us.
Everything about it is special.

Jesus is with us each time
we celebrate the Mass.
We gather with our family
and friends. We come together
in our parish church
on Saturday evening
or on Sunday.

We celebrate Mass
together as Jesus' friends.
The priest leads our parish
community at Mass.

We gather around
a special holy table.
We call this table the altar.

A special plate and cup
are used for the bread and wine.
The plate is called the paten.
The cup is called the chalice.

Todos tenemos algo que hacer en la misa. Esto muestra que somos el pueblo de Dios. Para empezar la misa nos ponemos de pie y cantamos.

Junto al sacerdote, hacemos la señal de la cruz. Escuchamos al sacerdote decir: "El Señor esté con vosotros".
Contestamos:
"Y con tu espíritu".

Pedimos a Dios y a todos los demás que perdonen nuestros pecados. Nos unimos al sacerdote para decir a Dios cuan maravilloso es. Nos preparamos para escuchar la palabra de Dios que se lee de la Biblia.

La **misa** es la celebración especial donde oímos la palabra de Dios, recordamos la muerte y resurrección de Jesús y compartimos el Cuerpo y la Sangre de Cristo.

174

The **Mass** is the special celebration in which we hear God's word, remember Jesus' dying and rising, and share the Body and Blood of Christ.

Everyone has something to do at Mass.
This shows we are all God's people.
To begin Mass we stand together and sing.

With the priest, we make the sign of the cross. We hear the priest say, "The Lord be with you." We answer, "And also with you."

We ask God and one another for forgiveness. Then we join with the priest to tell God how wonderful He is. We get ready to listen to God's word when it is read from the Bible.

175

ACERCANDOTE A LA FE

Habla sobre cada una de estas formas de celebrar en la misa.

cantar   rezar   escuchar

¿Qué puedes hacer para celebrar en la misa? Dinos por qué te gusta hacer eso.

VIVIENDO LA FE

Jesús te invita con tu familia a reunirte en la misa con tu familia parroquial. Contesta a la invitación de Jesús terminando esta carta.

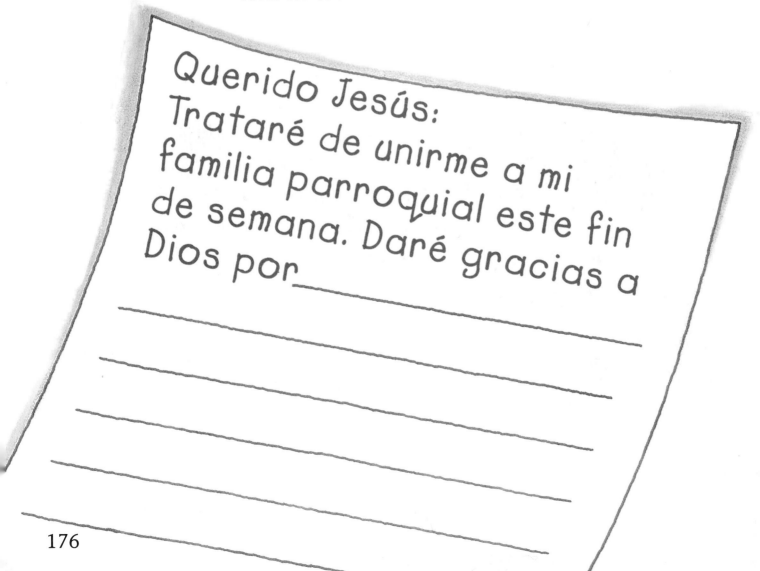

Querido Jesús:
Trataré de unirme a mi familia parroquial este fin de semana. Daré gracias a Dios por_____

_____

_____

_____

_____

COMING TO FAITH

Tell about each of these ways
we celebrate at Mass.

   sing   pray   listen

What can you do to join in the Mass?
Tell why you like doing this.

PRACTICING FAITH

Jesus invites you and your family to gather
at Mass with your parish family.
Answer Jesus' invitation by finishing this
letter to Jesus.

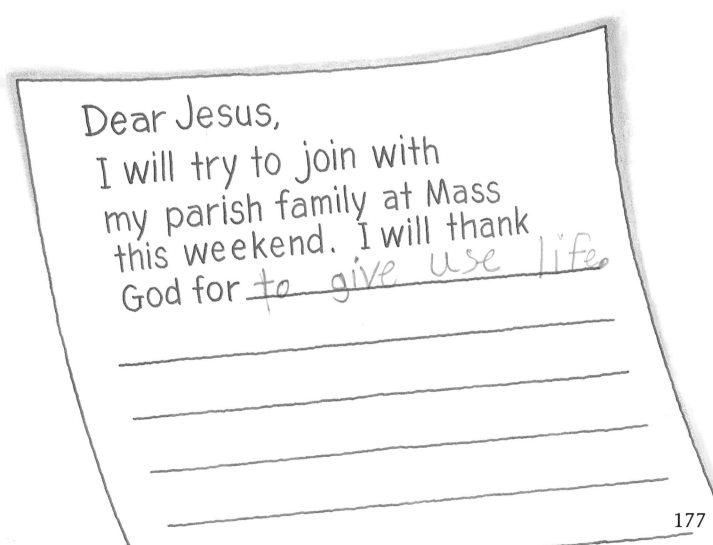

Dear Jesus,
   I will try to join with
my parish family at Mass
this weekend. I will thank
God for to give use life

REPASO

Colorea el círculo al lado de la respuesta correcta.

1. _____ es la celebración especial en la que compartimos el Cuerpo y la Sangre de Cristo.

   ⭕ El Bautismo   🔘 La misa   ⭕ La Biblia

2. Nos reunimos alrededor de una mesa llamada _____.

   🔘 altar   ⭕ cáliz   ⭕ pan

3. Escuchamos la palabra de Dios de la _____.

   ⭕ mesa   ⭕ parroquia   🔘 Biblia

4. ¿Cómo mostrarás a los demás que estás contento de haber asistido a misa esta semana?

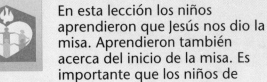

EN EL HOGAR Y EN LA PARROQUIA

En esta lección los niños aprendieron que Jesús nos dio la misa. Aprendieron también acerca del inicio de la misa. Es importante que los niños de primer curso participen en la celebración de la Eucaristía todos los domingos o los sábados en la tarde. Este es el centro y culminación de nuestra vida católica. Es por eso que iniciamos la lección con una simple explicación de lo que significa reunirse con otros para alabar. Ayude al niño a entender que juntos somos la expresión visible de la Iglesia. El niño también empezó a aprender las respuestas que la asamblea da en la misa. Ayúdele a aprender esas respuestas de memoria.

Resumen de la fe

- Jesús está con nosotros cada vez que celebramos la misa.

- Todos tenemos un papel en la misa.

REVIEW • TEST

Fill in the circle beside the correct answer.

1. Our special celebration in which we share the Body and Blood of Christ is _____.

◯ Baptism   ◉ the Mass   ◯ the Bible

2. We gather around a holy table called the _____.

◉ altar   ◯ chalice   ◯ bread

3. We listen to God's word from the _____.

◯ altar   ◯ parish   ◉ Bible

4. How will you show others that you are happy to be at Mass this week?

to be safe

FAITH ALIVE AT HOME AND IN THE PARISH

In this lesson your child learned that Jesus gave us the Mass. They also learned about the beginning of the Mass. It is important that first graders participate in the celebration of the Eucharist each Saturday evening or Sunday. It is the center and summit of our Catholic life. That is why we begin the lesson with a simple explanation of what it means to gather with others to worship. Help your child to understand that together we are the visible expression of the Church. Your child also began to learn the responses the assembly makes at Mass. Help him or her to learn these responses by heart.

Faith Summary

- Jesus is with us each time we celebrate the Mass.
- We all have a part to play in the Mass.

La Iglesia celebra

(Continuación de la misa)

Querido Dios, ayúdanos a amar y a servir a ti y a los demás.

NUESTRA VIDA

Léeme

Isabel llamó a su tía para comunicarle la importante noticia. "Tía Sandra, ¡adivina! El domingo pasado en la misa fuimos invitados a llevar las ofrendas al altar".

"¡Qué honor! ¿Cómo te sentiste?" Respondió la tía Sandra.

"Al principio tenía miedo, porque todo el mundo nos estaba mirando; pero papá me explicó que llevábamos las ofrendas en nombre de todos. Me sentí especial, espero poder hacerlo otra vez", contestó Isabel.

¿Te gustaría llevar las ofrendas en la misa? ¿Por qué?

COMPARTIENDO LA VIDA

¿Cuál es tu forma favorita de participar en la misa? Háblanos sobre ello.

19 The Church Celebrates

(The Mass Continues)

OUR LIFE

Read to me

Megan called her aunt to tell her exciting news. "Aunt Sondra, guess what! Last Sunday at Mass Dad, Mom, Jessie, and I carried up the gifts of bread and wine to the altar."

Aunt Sondra answered, "Oh, what an honor! Megan, how did you feel?"

Megan told her aunt, "At first I was afraid because everybody would be watching us. But then Dad told me that we were bringing up the gifts for everybody there. I felt very special. I hope we get to do it again."

Would you like to bring up the gifts at Mass? Why or why not?

Celebrate

SHARING LIFE

What is your favorite way to take part in the Mass? Tell about it.

181

Escuchamos la palabra de Dios

En la misa escuchamos la palabra de Dios. Tratamos de escuchar atentamente.

Cuando el lector dice:
"Palabra de Dios".
Contestamos:
"Te alabamos, Señor".

Luego escuchamos el evangelio.
El evangelio es la buena nueva, o historias, de Jesús.

Después del evangelio, el diácono o el sacerdote dice: "Palabra del Señor".
Contestamos:
"Gloria a ti, Señor Jesús".

Sentados escuchamos atentamente.
El sacerdote nos habla sobre las lecturas. Luego rezamos una oración que dice lo que creemos.
Esta es el Credo.

Después, rezamos por todo el mundo y a cada petición contestamos:
"Señor, escucha nuestra oración".

OUR CATHOLIC FAITH

We Listen to God's Word

At Mass we listen to God's word.
We try to be good listeners.

When the reader says,
"The word of the Lord,"
We answer,
"Thanks be to God."

Then we listen to the gospel.
The gospel is the good news,
or stories, of Jesus.

After the gospel, the deacon or priest
says, "The gospel of the Lord."
We answer,
"Praise to you, Lord Jesus Christ."

We sit and listen quietly. The priest
talks to us about the readings
from the Bible.

Then we pray a prayer that tells
what we believe.
We call this our Creed.

After this, we pray for all people.
After each prayer we answer,
"Lord, hear our prayer."

183

Nuestros regalos a Dios se convierten en Jesús

Algunas personas llevan las ofrendas de pan y vino al altar. El sacerdote prepara las ofrendas para ofrecerlas a Dios. Rezamos: "Bendito seas por siempre, Señor".

Evangelio es la buena nueva de Jesús.

Durante la oración de acción de gracias el sacerdote toma el pan. En nombre de Jesús dice: "esto es mi cuerpo que será entregado por ustedes".

Toma la copa de vino y dice: "Este es el cáliz de mi sangre".

El pan y el vino se convierten en Jesús, por medio de las palabras y acciones del sacerdote.

Al final de la misa el sacerdote o el diácono dice: "podéis ir en paz".

Contestamos: "Demos gracias a Dios".

Vamos en paz a amar y a servir a Dios y a los demás.

The **gospel** is the good news of Jesus.

Our Gifts to God Become Jesus

Some people bring our gifts of bread and wine to the altar.

The priest prepares our gifts to be offered to God. We pray, "Blessed be God forever."

During the Thanksgiving Prayer, the priest takes the bread in his hands. He prays in the name of Jesus, "This is my body which will be given up for you."

He takes the cup of wine and says, "This is the cup of my blood."

The bread and wine become Jesus Himself through the words and actions of the priest.

At the end of Mass the deacon or priest says, "Go in peace to love and serve the Lord."

We answer, "Thanks be to God."

We go in peace to love and serve God and one another.

ACERCANDOTE A LA FE

¿Qué pasa con nuestras ofrendas en la misa?

Di cuál es tu parte favorita de la misa.

¿Por qué es tu favorita?

VIVIENDO LA FE

Mira las fotografías que representan la misa en esta lección. Di lo que está pasando en cada una.

Ponte en una de las fotografías. Cuenta lo que harás para participar en la misa el domingo.

Coming to Faith

What happens to our gifts of bread and wine at Mass?

Tell about your favorite part of the Mass.

Why is it your favorite?

Practicing Faith

Look at the pictures of the Mass in this lesson. Tell what is happening in each picture.

Put yourself in one of the pictures. Tell what you will do to take part next time you go to Mass.

REPASO

Encierra en un círculo la respuesta correcta.

1. Cuando el lector dice "Palabra de Dios", contestamos

_____ .

"Amén"   "Demos gracias a Dios"

2. Después de cada petición en la Oración de los Fieles, contestamos _____

"Señor, escucha nuestra oración"   "Aleluya"

3. Cuando escuchamos "Palabra del Señor", decimos

_____ .

"Gloria a ti, Señor Jesús"   "Amén"

4. Cuenta una historia en la que Jesús hizo algo que mostró quien es él.

FE VIVA EN EL HOGAR Y EN LA PARROQUIA

En esta lección los niños profundizaron en el significado de la misa y la presencia real de Jesús en la Eucaristía. Ayude al niño a apreciar que Jesús está realmente presente en la Liturgia de la Palabra preparándonos para la unión con él en la Liturgia de la Eucaristía. Señale que el pan y el vino se convierten en el Cuerpo y la Sangre de Cristo. Esto sucede por las palabras y acciones del sacerdote y el poder del Espíritu Santo.

Renovados por la Eucaristía, el Cuerpo y la Sangre de Cristo, somos llamados a ser "pan de vida" para los otros, especialmente los pobres y los que sufren.

Resumen de la fe

● Escuchamos la palabra de Dios en la misa.

● Nuestros regalos a Dios se convierten en Jesús, a quien recibimos en la sagrada comunión.

REVIEW ■ TEST

Circle the correct response.

1. When the reader says "The word of the Lord,"
we say ⎯⎯⎯⎯⎯⎯⎯⎯ .

"Amen"   "Thanks be to God"

2. After each of the prayers for all people,
we say ⎯⎯⎯⎯⎯⎯⎯⎯ .

"Lord, hear our prayer"   "Alleluia"

3. When we hear "The gospel of the Lord,"
we say ⎯⎯⎯⎯⎯⎯⎯⎯ .

"Praise to you, Lord Jesus Christ"   "Amen"

4. Tell one way you will love and serve God this week.

FAITH ALIVE AT HOME AND IN THE PARISH

In this lesson your child deepened his or her understanding of the Mass and the real presence of Jesus in the Eucharist. Help your child to appreciate that Jesus is truly present to us in the Liturgy of the Word, preparing us for union with Him in the Liturgy of the Eucharist. Point out that the bread and wine become the body and Blood of Christ. This happens through the words and actions of the priest and by the power of the Holy Spirit.

Then, renewed by the Eucharist, the Body and Blood of Christ, we are called to be "bread of life" for others—especially the poor and the suffering.

Faith Summary

● We listen to God's word at Mass.

● Our gifts to God become Jesus, whom we receive in Holy Communion.

Jesús, ayúdame a
pasar tiempo
contigo.

NUESTRA VIDA

Léeme

Toni, la tortuga, tiene muchos amigos en el estanque. Le gusta hablar con ellos y ayudar.

Una mañana, mientras estaba sentada al sol, sus amigos lagarto y sapito querían jugar con ella. Toni dijo: "No ahora, necesito estar a solas. Ahora voy a guardarme para relajarme y pensar".

Lagarto preguntó: "¿Puede ser esta tarde?" "Fabuloso", contestó Toni, "hasta la vista."

¿Te gusta estar a solas contigo mismo algunas veces?
¿Cuándo lo haces?

COMPARTIENDO LA VIDA

¿Te gusta hablar con Dios en silencio?
¿Por qué?

¿Qué sientes cuando hablas con Dios?
Explica como eso te ayuda.

20 Lent

Our Life

Read to me
Shelly Turtle had many friends in the bayou.
She loved to talk with them and help them.

One morning, she was sitting in the sun.
Her friends Gator and Froggie wanted
her to play. But Shelly said, "Not right now!
I need some quiet time. I'm just going
to go inside, relax, and think."

Gator asked, "How about this afternoon?"
Shelly answered, "That would be great!
See you later, Gator!"

Do you sometimes like to take
time out for quiet time alone?
When do you do this?

Sharing Life

Do you like to talk to God
during quiet time? Why?

How does it feel to talk to God?
Tell how this helps you.

Jesús nos enseña que debemos tomar tiempo
para estar a solas con nosotros mismos.
El pasó tiempo a solas rezando a Dios.
El fue al desierto y a las montañas
a hablar y a escuchar a Dios.

La Cuaresma es un tiempo especial para
rezar y crecer en el amor a Jesús. Hablamos
y escuchamos a Jesús, nuestro mejor amigo,
en momentos de quietud.
Recordamos que Jesús murió por nosotros.
Recordamos que Jesús resucitó de la
muerte para darnos nueva vida.
Damos gracias a Jesús por todo lo que
hizo por nosotros. Damos gracias a Jesús
por su amor. Decimos a Jesús cuanto
queremos crecer en su amor. Pedimos a
Jesús que nos ayude a compartir su amor
con otros, especialmente los necesitados.

Recordamos que Jesús dijo:
"Amense unos a otros, como yo
los he amado".

Basado en Juan 15:12

Jesus teaches us that we need quiet time.
He spent quiet time praying to God.
He went to the desert and hills
to talk and listen to God.

Lent is a special time to pray and to grow
in love for Jesus. We talk and listen to
Jesus, our best friend, in quiet time.
We remember Jesus died for us.
We remember Jesus rose from the dead
to give us new life.
We thank Jesus for all He did for us.
We thank Jesus for His love.
We tell Jesus how much we want to
grow in love for Him.
We ask Jesus to help us share His love
with others, especially those in need.

We remember that Jesus said, "Love one
another, just as I love you."

From John 15:12

Acercandote a la Fe

Piensa en formas en que puedes pasar tiempo para crecer como amigo de Jesús. Aquí tienes una forma en que puedes rezar en tu corazón esta Cuaresma. Quédate quieto como una tortuga dentro de su concha. Si quieres cierra los ojos. Siente el amor de Jesús a tu alrededor. Imagina que escuchas a Jesús decir: "Eres mi amigo. Háblame".

† Jesús, quiero decirte...
Jesús, quiero darte gracias por...
Jesús, me preocupa...
Jesús, ayúdame a crecer en...
Jesús, ayúdame a compartir...

Viviendo la Fe

Imagina que oyes a Jesús decir: "Ve, amigo. Ayuda a otros a crecer en amor por mí".

¿Cómo harás esto esta Cuaresma? Puede que la fotografía en esta página te ayude.

Haz un aviso para tu puerta para ayudarte a decir a otros como estás usando el tiempo durante la Cuaresma, con otros, solo.

COMING TO FAITH

Think of ways you can take time to grow as a friend of Jesus. Here is one way to pray in your heart during Lent.

Be still like a turtle inside its shell. If you want to, close your eyes. Feel the love of Jesus all around you. Imagine you hear Jesus say, "You are My friend. Talk to Me."

† Jesus, I want to tell You …
Jesus, I want to thank You …
Jesus, I was wondering …
Jesus, help me to grow in …
Jesus, help me to share …

PRACTICING FAITH

Imagine you hear Jesus say, "Go, My friend. Help others to grow in their love for Me."

How will you do this during Lent? The pictures on this page may help.

Make signs for your door to help you tell others how you are spending time — alone or with others — in Lent.

REPASO

Escribe una X en el cuadro al lado de la frase que nos dice algo que podemos hacer en la Cuaresma.

1. ☐ Recordamos que Jesús murió por nosotros.

2. ☐ Nos preparamos para la Navidad.

3. ☐ Pensamos en formas en que podemos compartir con los demás.

4. ☐ Damos gracias a Jesús por todo lo que hizo por nosotros.

5. Escribe algo que harás por Jesús durante esta Cuaresma.

EN EL HOGAR Y EN LA PARROQUIA

En esta lección a los niños se les enseñó sobre la Cuaresma, tiempo de oración y buenas obras. La Cuaresma es un tiempo de cuarenta días que se inicia el Miércoles de Ceniza. Durante este tiempo los católicos renuevan sus esfuerzos de vivir su bautismo. También ayunan y no comen carne durante algunos días. Se nos estimula a hacer obras de misericordia y justicia y a prepararnos para celebrar el punto culminante del año de la Iglesia, el Triduo Pascual.

Resumen de la fe

- La Cuaresma es un tiempo especial para crecer en amor por Jesús.

- Recordamos que Jesús murió por nosotros y resucitó de la muerte.

196

REVIEW ■ TEST

Put an x in the box next to each sentence that tells what we are expected to do during Lent.

1. ☐ We remember Jesus died for us.

2. ☐ We get ready for Christmas.

3. ☐ We think of ways to share with others.

4. ☐ We thank Jesus for all He did for us.

5. Tell one thing you will do for Jesus this Lent.

FAITH ALIVE AT HOME AND IN THE PARISH

In this lesson your child was introduced to the liturgical season of Lent as a special time for prayer and good works. Lent is a season of forty days that begins on Ash Wednesday. During this time Catholics renew their efforts to live their Baptism. They also fast and abstain on certain days. We are encouraged to do works of mercy and justice and to prepare ourselves to celebrate the high point of the Church year—the Easter Triduum.

Faith Summary

- Lent is a special time to grow in love for Jesus.

- We remember that Jesus died for us and rose from the dead.

21 Pascua de Resurrección

¡Aleluya, Jesús! Tenemos una buena noticia que contar.

NUESTRA VIDA

¿Qué palabras usas cuando estás muy contento?

¿Cómo ayudan a que los otros sepan como te sientes?

COMPARTIENDO LA VIDA

Celebra y comparte la buena nueva de la Pascua de Resurrección.

Dramatiza las palabras de la oración.

† Dios, tu creación canta ¡aleluya!
Las aves vuelan de árbol en árbol,
piando temprano en la mañana.
Las ranas saltan croando alrededor del
estanque. Las mariposas vuelan
lentamente batiendo sus alas.

Las abejas bailan entre las flores
abiertas a la luz del sol.
Zumban felizmente.

Yo salto de alegría y digo:
"¡Aleluya! Celebramos la nueva
vida de Jesús".

21　Easter

Alleluia, Jesus!
We have good
news to tell!

Our Life

What words do you say
when you are excited or very happy?

How do they help you tell
others how you feel?

Sharing Life

Celebrate and share Easter
good news.

Act out the prayer words.

✝ God, Your world says Alleluia!
Birds fly from tree to tree
and chirp in early morning.
Frogs hop near the pond
and croak. Butterflies quietly
flutter their wings.

Bees dance upon the flowers
opening in sunlight.
They buzz happily.

And I jump for joy and say,
"Alleluia! We celebrate Jesus'
new life."

Un drama de Pascua de Resurrección.

Narrador: María Magdalena lloraba afuera de la tumba de Jesús, porque el cuerpo de Jesús no estaba. Un joven que estaba por ahí dijo a María:

Angel: ¿Por qué lloras?

María: Se llevaron el cuerpo de Jesús y no se donde lo han puesto.

Narrador: Cuando María estaba hablando, Jesús estaba parado a su lado pero ella no lo reconoció.

Jesús: ¿Por qué lloras? ¿A quién buscas?

Narrador: María creyó que era el jardinero.

María: Sí te lo llevaste, dime dónde lo pusiste y yo iré a buscarlo.

Narrador: Entonces Jesús le dijo:

Jesús: ¡María!

Narrador: María se viró, reconoció a Jesús y dijo:

María: ¡Maestro!

Jesús: Ve y dile a mis amigos que voy al Padre.

Narrador: María fue a ver a los amigos de Jesús y les dijo que había visto a Jesús. ¡El está vivo!

Basado en Juan 20:11–18

An Easter Play

Narrator: Mary Magdalene was crying outside of Jesus' tomb because Jesus' body was not there. A young man by the tomb said to Mary:

Angel: Why are you crying?

Mary: They have taken Jesus away. I do not know where they have put Him.

Narrator: When Mary said this, she saw Jesus standing by her, but she did not know that it was Jesus.

Jesus: Why are you crying? Who are you looking for?

Narrator: Mary thought at first that Jesus was the gardener.

Mary: If you took Jesus away, tell me where you have put Him. I will go and get Him.

Narrator: Then Jesus said her name.

Jesus: Mary!

Narrator: Mary turned toward Jesus. She knew who it was. She said:

Mary: Teacher!

Jesus: Go tell My friends that I am going back to My Father.

Narrator: Mary went back to Jesus' friends and told them that she had seen Jesus. He was alive!

From John 20:11–18

Acercandote a la Fe

¿Qué aprendiste de esta historia de María Magdalena en la tumba?

En Pascua de Resurrección mostramos que estamos contentos de que Jesús esté vivo.
El comparte su nueva vida con nosotros. Rezamos y cantamos aleluya.

Canta esta alegre canción de aleluya
♪ Aleluya, aleluya,
el Señor es nuestro rey. ♪

Viviendo la Fe

Haz una bandera de buena nueva de pascua. Compártela con tu familia.
¿Cómo vas a celebrar la buena nueva de Pascuas de Resurrección en tu hogar y en tu parroquia?

COMING TO FAITH

What did you learn from the story
of Mary Magdalene at the tomb?

On Easter we show how happy
we are that Jesus is alive.
He shares His new life with us.
We pray and sing Alleluia.

PRACTICING FAITH

Make an Easter Good News banner.
Share the banner with your family.
How will you celebrate the good news
of Easter at home and in your parish?

REPASO

Enumera del 1 al 5 el orden en que sucedió la historia de la Resurrección.

☐	Jesús dijo su nombre: "María".
☐	María vio a Jesús pero pensó que era el jardinero.
☐	María Magdalena no encontró el cuerpo de Jesús en la tumba.
☐	El ángel preguntó: "¿Por qué lloras?"
☐	Jesús dijo: "Ve a decir a mis amigos que regreso al Padre".

EN EL HOGAR Y EN LA PARROQUIA

En esta lección los niños aprendieron que después de morir, Jesús resucitó a una nueva vida. Esta es la nueva vida que él comparte con nosotros. Celebramos la resurrección de Jesucristo todos los domingos. Celebramos esta fiesta con mayor solemnidad el Domingo de Resurrección. Ese es el día de la victoria final de Jesús sobre el pecado y la muerte. Es la fiesta de la esperanza cristiana—la resurrección de Cristo nos asegura que también nosotros resucitaremos a una nueva vida. La resurrección llama a los cristianos a una fe viva y renovada—una fe que llega a los pobres, a los abandonados y a los desesperados para que puedan ver la esperanza ganada por Cristo para nosotros.

Resumen de la fe

● Jesús resucitó de la muerte el Domingo de Resurrección.

● Jesús nos da nueva vida.

REVIEW ■ TEST

Put the Easter story in order by numbering the sentences 1 through 5.

☐ Jesus said her name. "Mary!"

☐ Mary saw Jesus but thought He was the gardener.

☐ Mary Magdalene could not find Jesus' body in the tomb.

☐ The angel said, "Why are you crying?"

☐ Jesus said, "Go tell My friends that I am going back to My Father."

AT HOME AND IN THE PARISH

In this lesson your child learned that after Jesus died He rose to new life. It is this new life that He shares with us. We celebrate the resurrection of Jesus Christ every Sunday. We celebrate it most solemnly on Easter Sunday itself. It is the day of Jesus' final victory for us over death and sin. It is the feast of Christian hope—we are assured in the resurrection of Christ that we, too, will rise to new life. Easter calls Christians to a renewed and living faith—a faith that reaches out to the poor, the abandoned, and the despairing so that they may know the hope won for us by Christ.

Faith Summary

● Jesus rose from the dead on Easter.

● Jesus gives us new life.

Jesús, ayúdanos a
trabajar juntos
como tus amigos.

NUESTRA VIDA

Léeme

En la profundidad del valle,
en el fondo del mar, vivía un
cangrejo llamado Carlos,
y era lo más caprichoso.

En la profundidad del valle,
en el fondo del mar,
vivía un pez llamado Pedro
y era muy simpático.

Pedro se reunió con la estrella de mar
y otros animales marinos para escribir una
nota a Carlos, la cual firmaron y enviaron.

"Querido Carlos: cuando te sientas solo,
y necesites un amigo, puedes venir
a nuestro lugar especial. Eres siempre
bienvenido".

¿Cómo Pedro ayudó a Carlos?

¿Cómo te ayudan tus amigos?

¿Cómo animas a tus amigos cuando
están tristes?

COMPARTIENDO LA VIDA

¿Necesitan los amigos un
lugar para estar juntos?
¿Por qué?

¿Necesitan los amigos de
Jesús un lugar para estar
juntos? ¿Por qué?

Our Life

Jesus, help us to work together as Your friends.

Read to me
Down in the valley,
In the bottom of the sea,
Lived a crab named Charlie,
Who was cranky as can be.

Down in the valley,
In the bottom of the sea,
Lived a fish named Sharkey,
Who was friendly as can be.

Sharkey got the starfish
And some other fishy friends
To write this note to Charlie,
Which they signed and then
  did send.

"Dear Charlie, when you're lonely,
And need a friend to care,
Please come to our special place.
You're always welcome there!"

How did Sharkey help Charlie?

How do friends help you?

How do you cheer up your friends when they are sad?

Sharing Life

Do friends need a place to be together? Why?

Do Jesus' friends need a special place to be together? Why?

207

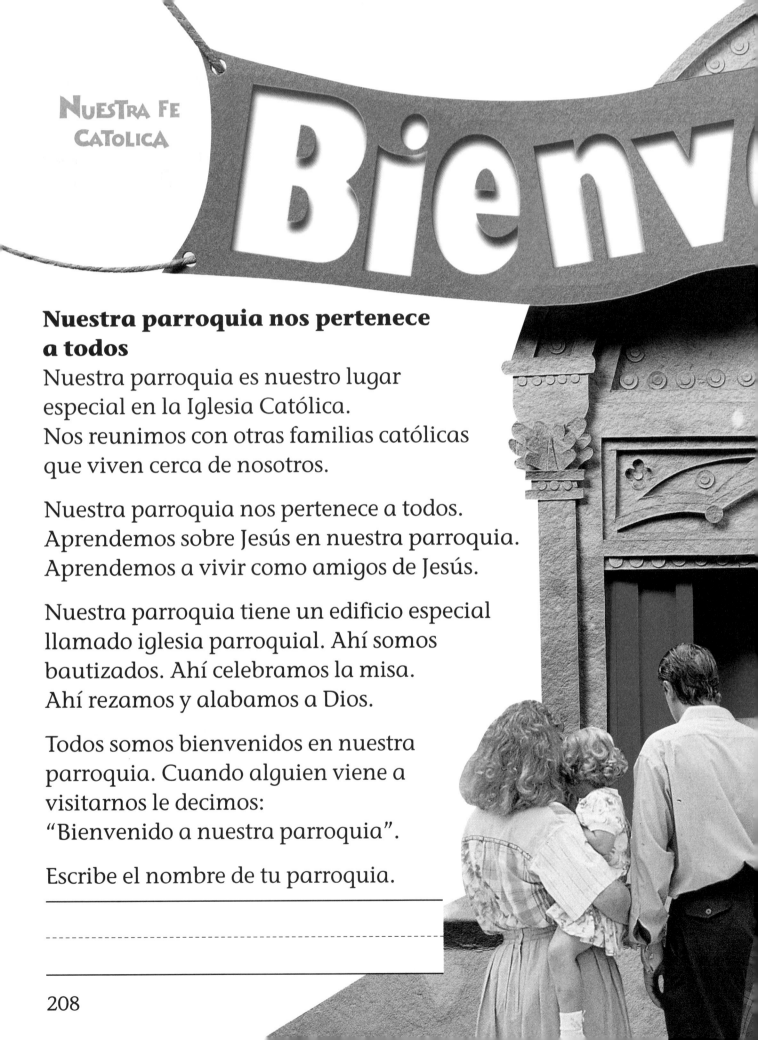

Nuestra parroquia nos pertenece a todos

Nuestra parroquia es nuestro lugar especial en la Iglesia Católica.
Nos reunimos con otras familias católicas que viven cerca de nosotros.

Nuestra parroquia nos pertenece a todos.
Aprendemos sobre Jesús en nuestra parroquia.
Aprendemos a vivir como amigos de Jesús.

Nuestra parroquia tiene un edificio especial llamado iglesia parroquial. Ahí somos bautizados. Ahí celebramos la misa.
Ahí rezamos y alabamos a Dios.

Todos somos bienvenidos en nuestra parroquia. Cuando alguien viene a visitarnos le decimos:
"Bienvenido a nuestra parroquia".

Escribe el nombre de tu parroquia.

_____

_____

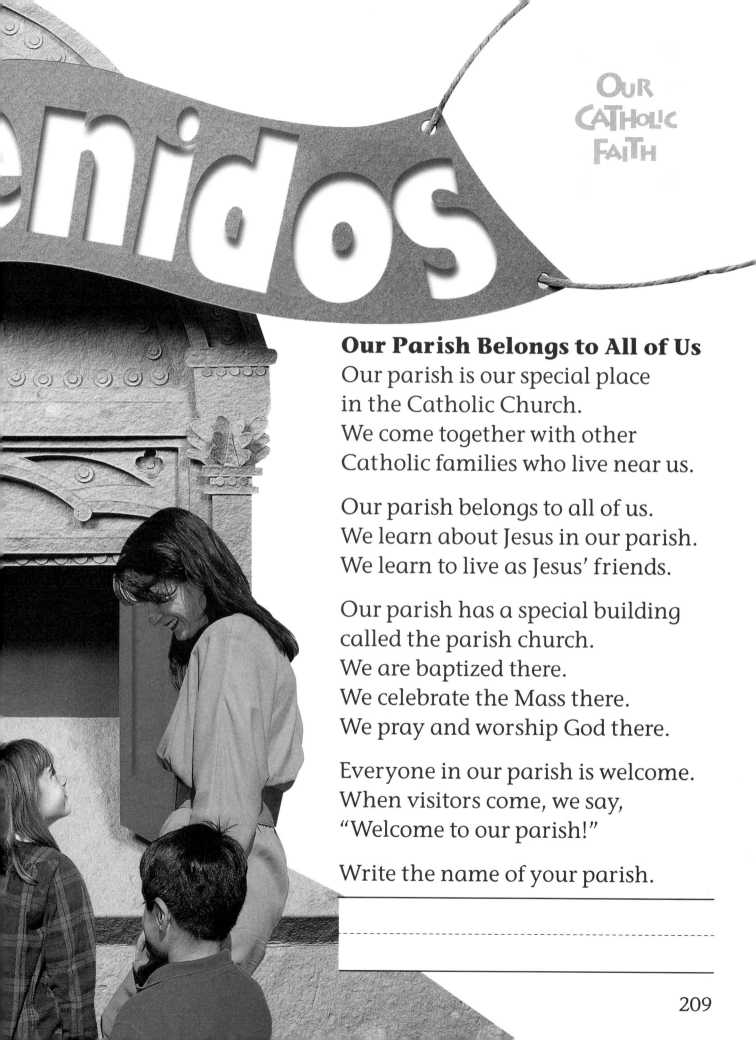

Our Parish Belongs to All of Us

Our parish is our special place
in the Catholic Church.
We come together with other
Catholic families who live near us.

Our parish belongs to all of us.
We learn about Jesus in our parish.
We learn to live as Jesus' friends.

Our parish has a special building
called the parish church.
We are baptized there.
We celebrate the Mass there.
We pray and worship God there.

Everyone in our parish is welcome.
When visitors come, we say,
"Welcome to our parish!"

Write the name of your parish.

_____

- -

Todos ayudamos a nuestra parroquia

Todos en nuestra parroquia somos importantes. Todos tenemos algo especial que hacer.

Muchas personas forman nuestra familia parroquial. Hay jóvenes, viejos, familias y amigos.

Algunos leen la palabra, otros dan la comunión.

Algunas personas de nuestra parroquia ayudan a los pobres, a los enfermos y a los que no tienen a nadie. Otros nos enseñan acerca de Dios.

El sacerdote en nuestra parroquia nos dirige cuando alabamos en la iglesia. También nos ayuda a preocuparnos unos por otros.

Escribe el nombre de un sacerdote de tu parroquia. Llámalo por su nombre cuando lo veas.

Hola padre:

Jesus Hernadoz

Parroquia es nuestro lugar especial en la Iglesia Católica.

The **parish** is our special place in the Catholic Church.

We All Help Our Parish

Everyone in our parish is important. We all have something special to do.

Many people make up our parish family. There are young people, old people, families, and friends.

Some people read God's word to us. Some of them give us Holy Communion.

Some people in our parish help the poor, the sick, and the lonely. Some people teach us about God.

The priest in our parish leads us as we worship God at Mass. He also helps us care for one another.

Write the name of a priest in your parish. Call him by name when you see him.

Hello, Father

_____

- -

_____

211

ACERCÁNDOTE A LA FE

Hay tres formas en que las personas
se ayudan unas a otras en la parroquia.

Algunas personas de la parroquia ayudan a
los enfermos. Los enfermos no pueden salir.
Vamos a ayudar a alguien.
Envíale una sorpresa especial.

Dibuja un pez y córtalo. Coloréalo.
Junto con otros niños dibuja una
escena marina. Escribe en tu dibujo:
"Te amo".

Pide al maestro de religión o al párroco
llevar el dibujo a algún enfermo.

VIVIENDO LA FE

Nombra una manera en que te gustaría
ayudar en tu parroquia esta semana.

Invita a tus amigos a visitar tu parroquia.

Coming To Faith

Tell three ways people help
one another in your parish.

Some people in our parish
are sick. They cannot go outside.
Let's help someone.
Send them a special surprise.

Trace the fish and cut it out. Color the fish.
Join it with others to make an underwater scene.
Write on your picture, "We love you!"

Ask your catechist or pastor
to bring your scene to someone
in your parish who is sick.

Practicing Faith

Name one way you would like
to help in your parish this week.

Invite one of your friends to visit your
parish church.

REPASO

Encierra en un círculo la respuesta correcta

1. Nuestro lugar especial en la Iglesia Católica es la _____.

    parroquia   diócesis

2. Nuestra familia parroquial se reúne en un edificio llamado _____.

    diócesis   iglesia parroquial

3. Somos _____ en nuestra iglesia parroquial.

    bautizados   nacidos

4. Todos los que pertenecemos a nuestra Iglesia somos llamados _____.

    católicos   sacerdotes

5. ¿Qué puedes decir a un amigo acerca de tu parroquia?

FE VIVA EN EL HOGAR Y EN LA PARROQUIA

Esta semana los niños aprendieron que la parroquia es nuestro hogar en la Iglesia Católica. Es esencial que los católicos sepan que son bienvenidos y que pertenecen a una parroquia. Usted puede empezar a sembrar ese sentido de "hogar" en su niño participando en la liturgia, la catequesis y la vida pastoral de su parroquia.

Los niños aprendieron que las parroquias forman una diócesis bajo la dirección de un obispo. Los obispos, junto con el papa, obispo de Roma, sirven como maestros y pastores de la Iglesia universal.

Resumen de la fe

- Nuestra parroquia es nuestro lugar especial en la Iglesia Católica.

- Todos ayudan en nuestra parroquia.

REVIEW ■ TEST

Circle the correct answer.

1. Our special place in the Catholic Church is the _____.

    diocese   parish

2. Our parish family comes together in a building called the _____.

    diocese   parish church

3. We are _____ in our parish church.

    baptized   born

4. All those who belong to our Church are called _____.

    Catholics   priests

5. What can you tell a friend about your parish?

FAITH ALIVE AT HOME AND IN THE PARISH

This week your child learned about the parish as our home in the Catholic Church. It is essential that Catholics know and experience welcome and a sense of belonging in the parish. You can begin to build up that sense of "home" for your child by participating as fully as possible in the liturgical, catechetical, and pastoral life of your parish.

Your child also learned that parishes are joined together in a diocese under the leadership and authority of a bishop. The bishops, together with the pope as bishop of Rome, serve as the teachers and leaders in the universal Church.

Faith Summary

- Our parish is our special place in the Catholic Church.

- Everyone helps in our parish.

Te alabamos, oh Dios, con todo nuestro corazón.

NUESTRA VIDA

He aquí un poema acerca del viento.
Dramatízalo.

¿Quién ha visto al viento?
Ni tú ni yo.
Pero, cuando las hojas están temblando
el viento va pasando.

¿Quién ha visto al viento?
Ni tú, ni yo.
Pero cuando las hojas se agachan es porque el viento pasa.

(Christina G. Rossetti)

No vemos el viento
¿Cómo sabemos que sopla?

No vemos a Dios.
¿Cómo sabemos que está con nosotros?

COMPARTIENDO LA VIDA

¿Cómo te hace sentir el saber que Dios está contigo?
Dilo a Dios en el silencio de tú corazón.

23 Our Catholic Church

Our Life

Here is a poem about the wind.
Make up your own actions.

Who has seen the wind?
Neither I nor you.
But when the leaves
    hang trembling,
The wind is passing through.

Who has seen the wind?
Neither you nor I.
But when the leaves
    bow down their heads,
The wind is passing by.

Christina G. Rossetti

We do not see the wind.
How do you know that the wind is blowing?

We do not see God.
How do we know that God is with us?

Sharing Life

How does knowing God is with you
make you feel?
Tell Him in the quiet of your heart.

Nuestra Iglesia celebra

Jesús dio a su Iglesia señales especiales de que Dios está con nosotros. Estos son los sacramentos. Con ellos, nuestra Iglesia hace lo que Jesús hizo para mostrarnos el amor y preocupación de Dios por todos.

Jesús acoge a todos en su comunidad de amigos. Con el sacramento del Bautismo nuestra Iglesia da la bienvenida a todos a nuestra comunidad. Jesús prometió enviar al Espíritu Santo para que nos ayudara. En el sacramento de la Confirmación el Espíritu Santo viene a nosotros de forma especial.

Jesús alimentó al que tenía hambre. En el sacramento de la Eucaristía, la Iglesia da a Jesús para alimentarnos en la sagrada comunión.

Jesús perdonó a la gente sus pecados. En el sacramento de la Reconciliación, el sacerdote nos da el perdón de Dios.

Los católicos en todo el mundo celebran los sacramentos. Al celebrarlos, alabamos a Dios.

Our Church Celebrates

Jesus gave His Church special signs that God is with us. They are called sacraments. In the sacraments, our Church does what Jesus did to show God's love and care for everyone.

Jesus welcomed all people into His community of friends. In the sacrament of Baptism, our Church welcomes all people into our Church community. Jesus promised to send the Holy Spirit to be our helper. In the sacrament of Confirmation, the Holy Spirit comes to us in a special way.

Jesus fed people who were hungry. In the sacrament of Eucharist, the Church gives us Jesus Himself to be our food in Holy Communion.

Jesus forgave people their sins. In the sacrament of Reconciliation, the Church brings us God's forgiveness and mercy.

Catholics all over the world celebrate the sacraments. When we celebrate the sacraments, we worship God together.

Culto es honrar y adorar a Dios.

Nuestra Iglesia reza

Nuestra Iglesia también alaba a Dios cuando rezamos solos o con otros. Jesús quiere que sus amigos recen. El nos dijo: "Recen siempre".

Basado en Lucas 21:36

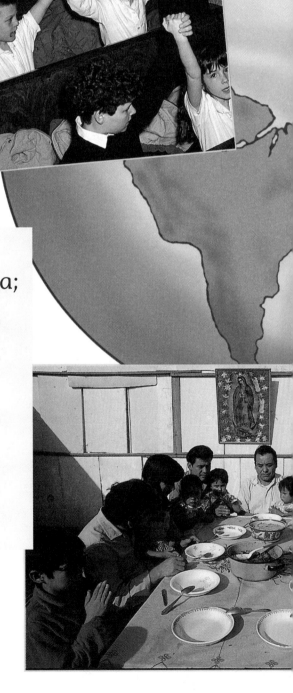

Algunas veces rezamos con nuestras propias palabras. Algunas veces cantamos nuestras oraciones. Otras veces rezamos la oración que Jesús nos enseñó, el Padre Nuestro.

Los católicos también rezan a María, la madre de Jesús. Le pedimos a María que ruegue por nosotros a Dios.

✝ Rezamos el Ave María.
Dios te salve María, llena eres de gracia; el Señor es contigo; bendita tú eres entre todas las mujeres, y bendito es el fruto de tu vientre, Jesús.

Santa María, Madre de Dios, ruega por nosotros pecadores, ahora y en la hora de nuestra muerte. Amén.

Cuando celebramos y rezamos, vivimos como amigos de Jesús.

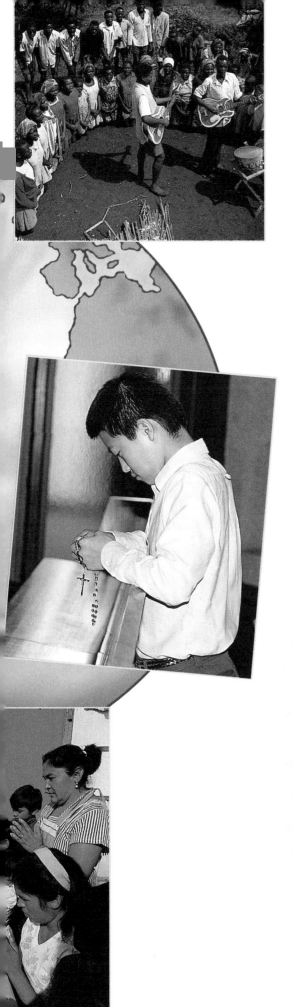

To **worship** is to give honor and praise to God.

Our Church Prays

Our Church also worships God
when we pray together or alone.
Jesus wants His friends to pray.
He tells us, "Pray always."

From Luke 21:36

Sometimes we pray in our own words.
Sometimes we sing our prayers.
Sometimes we pray the prayer
Jesus taught us, the Our Father.

Catholics also pray to Mary,
the mother of Jesus.
We ask Mary to pray to God for us.
We say the Hail Mary.

† Hail Mary, full of grace,
the Lord is with you;
blessed are you among women,
and blessed is the fruit
of your womb, Jesus.

Holy Mary, Mother of God,
pray for us sinners
now and at the hour of our death.
Amen.

When we celebrate and pray, we live
as Jesus' friends.

221

ACERCANDOTE A LA FE

Haz una oración de acción de gracias por cada uno de estos sacramentos.

Bautismo   Confirmación

Eucaristía   Reconciliación

Termina cada oración con estas palabras.

Recemos y celebremos, aleluya, cantemos al gran amor de Dios, aleluya.

VIVIENDO LA FE

Marca las cosas por las que vas a celebrar y a rezar. Háblanos de ellas.

Hagan un círculo, agárrense de las manos y recen el Ave María.

Coming To Faith

Make up a thank-you prayer for each of the sacraments.

Baptism   Confirmation

Eucharist   Reconciliation

Repeat these words after each prayer.

Let us pray and celebrate, alleluia, gifts and signs of God's great love, alleluia.

Practicing Faith

Circle ways that you will celebrate and pray. Tell about them.

Gather in a circle and hold hands. Pray the Hail Mary together.

REPASO

Colorea el círculo al lado de la respuesta correcta.

1. Somos bienvenidos a la Iglesia por medio del sacramento de _____.

◯ la Eucaristía   ◯ la Confirmación   ◯ el Bautismo

2. El Espíritu Santo viene en forma especial en el sacramento de _____.

◯ el Bautismo   ◯ la Confirmación   ◯ la Eucaristía

3. Jesús se da a sí mismo en _____.

◯ la Eucaristía   ◯ la Confirmación   ◯ el Bautismo

4. La oración especial que rezamos a la madre de Jesús es el_____.

◯ Gloria   ◯ Padre Nuestro   ◯ Ave María

5. Explica una forma en la que puedes rezar.

FE VIVA EN EL HOGAR Y EN LA PARROQUIA

Esta semana los niños aprendieron que la Iglesia Católica es una comunidad de oración. Es también una comunidad que rinde culto y que celebra los sacramentos. Cuando participamos frecuente y activamente en la vida de oración y culto de la Iglesia vivimos como pueblo sacerdotal. Éste es un aspecto de nuestro compromiso bautismal "proclamar las obras maravillosas de Dios, quien nos llamó de la oscuridad a su maravillosa luz" (1 Pedro 2:9).

Celebrar los sacramentos y rezar con frecuencia en familia son formas maravillosas de ayudar a los niños a crecer en su fe católica y en su amor a Dios y al prójimo.

Resumen de la fe

● Los católicos celebramos los sacramentos.

● Los católicos rezamos a Dios.

REVIEW ■ TEST

Fill in the circle beside the correct answer.

1. We are welcomed into the Church in the sacrament
of _____.

◯ Eucharist   ◯ Confirmation   ◯ Baptism

2. The Holy Spirit comes in a special way in the sacrament
of _____.

◯ Baptism   ◯ Confirmation   ◯ Eucharist

3. Jesus gives us Himself in _____.

◯ the Eucharist   ◯ Confirmation   ◯ Baptism

4. The special prayer we say to the mother of Jesus
is the _____.

◯ Our Father   ◯ Sign of the Cross   ◯ Hail Mary

5. Tell some ways you can pray.

FAITH ALIVE AT HOME AND IN THE PARISH

This week your child learned that the Catholic Church is a community of prayer. It is also a worshiping community that celebrates the sacraments together. When we take part often, knowingly, and actively in the Church's life of prayer and worship, we experience ourselves as a priestly people. This is an aspect of our baptismal commitment to "proclaim the wonderful acts of God, who called us out of darkness into God's own marvelous light" (from 1 Peter 2:9).

Celebrating the sacraments and praying often as a family are wonderful ways to help our children grow strong in their Catholic faith and in their love of God and neighbor.

Faith Summary

● Catholics celebrate the sacraments.

● Catholics pray to God.

Jesús, ayúdanos a
ser justos
con todos.

NUESTRA VIDA

Mira lo que está pasando
en el cuadro.

¿Están siendo estos
niños justos?

¿Has sido tratado
injustamente alguna vez?
¿Cómo te sentiste?

¿Has tratado injustamente
a alguien? ¿Cómo?

COMPARTIENDO LA VIDA

¿Qué significa ser injusto con alguien?

¿Por qué, algunas veces, somos injustos
con otros?

¿Por qué crees que Jesús quiere que seamos
justos con todos?

24   The Church Helps People

Jesus, help us
to be fair
to everyone.

OUR LIFE

Look at each picture.
Tell what is happening.

Which children are being fair?
Which child is being unfair?

Have you ever been treated unfairly?
How did you feel?

Do you ever treat others unfairly?
How?

SHARING LIFE

What does it mean to be unfair to someone?

Why are we sometimes unfair to others?

Why do you think Jesus wants us to be fair
to everyone?

227

La Iglesia ayuda a la gente

La Iglesia Católica ayuda a la gente enseñándonos cómo ser justos. La Iglesia nos ayuda a conocer las enseñanzas de Jesús.

He aquí una historia enseñada por Jesús sobre la justicia.

Léeme en la Biblia

Había una vez un sirviente que debía al rey mucho dinero. No podía pagar su deuda. Suplicó al rey: "Por favor dame tiempo para pagarte lo que te debo". El rey apenado por el sirviente le contestó: "No tienes que pagarme nada".

El sirviente se puso muy feliz. Entonces fue a ver a un hombre que le debía un poco de dinero. El hombre le suplicó:

"Por favor dame tiempo para pagarte lo que te debo". Pero el sirviente dijo: "¡No, tienes que pagarme ahora!"

El rey al saber lo que el sirviente había hecho se enojó mucho y le dijo: "Debiste haber sido justo con ese hombre como lo fui contigo".
Basado en Mateo 18:22–34

The Church Helps People

The Catholic Church helps people by teaching us how to be fair. The Church helps us to know what Jesus taught.

Here is a story Jesus told about being fair.

Read to me from the Bible

Once there was a servant who owed the king a lot of money. He could not pay what he owed. He begged the king, "Please give me more time to pay what I owe you." The king felt sorry for his servant. He said, "You do not have to pay me back any money."

The servant was very happy. Then he went to see a man who owed him a little money. The man begged, "Please give me more time to pay what I owe you." The servant said, "No! You must pay me now!"

The king was very angry at the way his servant treated the man. He said, "You should have been fair to the man, just as I was fair to you."

From Matthew 18:22–34

229

¿Qué aprendiste de esta historia?

Ser justo significa tratar a la gente de la misma forma en que queremos ser tratados. También significa ayudar a quienes necesitan de nosotros, especialmente los pobres.

Jesús nos enseña que no importa cuan joven o viejo seamos. No importa el color de la piel. Dios quiere que seamos justos con todos.

Cuando somos justos mostramos que Dios ama a todo el mundo. Cuando somos justos unos con otros ayudamos a fomentar la paz.

Paz significa no pelear. Paz significa estar en paz con uno mismo.

Jesús nos da su regalo de paz. Jesús dijo: "Mi paz os dejo, mi paz os doy".

Basado en Juan 14:27

PAZ

What do you learn from this story?

Being fair means treating people the way we want them to treat us. It also means caring for people who need our help, especially the poor.

Jesus teaches us that it does not matter how young or old a person is. It does not matter what color skin a person has. God wants us to be fair to everyone.

When we are fair, we show people that God loves everyone. When we are fair to one another, we help to make peace.

Peace means not fighting. Peace means being quiet inside ourselves.

Jesus gives us His gift of peace. Jesus said, "My peace is My gift to you."

From John 14:27

Acercándote a la Fe

Sé un compañero de paz
Pretende que eres Jesús.
¿Cómo puedes ayudar a los
niños en la foto
a actuar con justicia y a hacer
la paz?

¿Qué diría Jesús?

¿Qué haría Jesús?

Viviendo la Fe

Jesús quiere que seamos justos y
mantengamos paz en nuestros
corazones.

En silencio reza despacio.

† Jesús, me diste paz.
(Respira profundo)
Que tu paz esté conmigo
siempre.
(Respira profundo)
Jesús, ayúdame a llevar tu
paz a otros.
Esta semana, ayúdame a ser
justo con...
(Piensa en la persona)
Ayúdame a hacer la paz con...
(Piensa en el nombre de
una persona)

COMING TO FAITH

Be a peace partner!
Pretend you are Jesus.
How can you help the
children in each picture
act fairly and make peace?

What would Jesus say?

What would Jesus do?

Peace
Partner

PRACTICING FAITH

Jesus wants us to be fair
and to keep peace in our hearts.

Be still. Pray slowly.

† Jesus, You give me peace.
(Breathe in. Breathe out.)
May Your peace be with me always.
(Breathe in. Breathe out.)
Jesus, help me bring
Your peace to others.
This week, help me to be fair to . . .
(Name someone in your heart.)
Help me to be at peace with . . .
(Name someone in your heart.)

REPASO

Encierra en un círculo **Sí** o **No**. Encierra el signo **?** si no estás seguro.

1. Ser justo significa tratar a la gente de cualquier manera.   **Sí**   **No**   **?**

2. Ser justo significa mostrar a la gente que Dios ama a todo el mundo.   **Sí**   **No**   **?**

3. Dios quiere que seamos justos con todos.   **Sí**   **No**   **?**

4. Jesús nos da su paz.   **Sí**   **No**   **?**

5. Explica como vas a fomentar la paz.

FE VIVA

EN EL HOGAR Y EN LA PARROQUIA

Las enseñanzas de justicia y paz de la Iglesia se basan en el Antiguo y el Nuevo Testamento. Que la alianza exige justicia es un tema constante de los profetas.

Jesucristo, el Hijo de Dios y nuestro salvador, vino a liberarnos del pecado. Por medio de él tenemos vida completa y sabemos que Dios es nuestro Padre.

Desde la proclamación del nacimiento de Jesús hasta su despedida en la última Cena, su misión era de justicia y paz para todo el pueblo. La Iglesia Católica nos enseña claramente que nuestra fe cristiana nos pide serias responsabilidades sociales. Todos somos llamados a trabajar para el reino de Dios de justicia y paz en el mundo. Seguimos el ejemplo de Jesús, quien tuvo compasión por todo el mundo.

Los niños necesitan tener la oportunidad de practicar la justicia y el perdón en su vida diaria. La familia es el lugar más apropiado para desarrollar las virtudes de justicia, misericordia y paz.

Resumen de la fe

- Los católicos tratan de ser justos con todos y vivir en paz.

- Jesús quiere que trabajemos por la paz.

234

REVIEW ■ TEST

Circle **Yes** or **No**.
Circle **?** if you are not sure.

1. Being fair means treating people any way we want.

Yes   No   ?

2. Being fair means showing people that God loves everyone.

Yes   No   ?

3. God wants us to be fair to everyone.

Yes   No   ?

4. Jesus gives us His gift of peace.

Yes   No   ?

5. Tell how you will be a peacemaker.

FAITH ALIVE AT HOME AND IN THE PARISH

The Church's teaching on justice and peace is soundly rooted in the Old and New Testaments. That the covenant demands justice is a constant theme of the prophets.

Jesus Christ is the Son of God and our Savior. He came to set us free from sin. Through Him, we have life in all its fullness and know God as our Father.

From the proclamation of Jesus' birth to His farewell at the Last Supper, His mission brought justice and peace for all people. The Catholic Church clearly teaches that our Christian faith gives us serious social responsibilities. All of us are called to work for God's kingdom of justice and peace in the world. We follow the example of Jesus, who had compassion for all people.

Children need to be given opportunities to practice fairness and forgiveness in their daily lives. The family is the most important place for developing the virtues of justice, mercy, and peace.

Faith Summary

● Catholics try to treat others fairly and live in peace.

● Jesus wants us to be peacemakers

235

25 Dios nos perdona

Dios de amor,
ayúdanos a
perdonarnos
unos a otros.

NUESTRA VIDA

Léeme
Estaba muy enojado.
Mi cara se puso roja
cuando escuché lo
que dijo mi hermana.

Empezó a pelear en
medio de un juego.
Yo me enojé y le
puse un nombre.

Mamá nos dijo a los dos,
"perdónense". Pero
no creo que podemos hacerlo.

¿Te ha pasado algo
semejante?
Habla sobre ello.
¿Qué hiciste?

COMPARTIENDO LA VIDA

Di cómo te sientes cuando
perdonas a alguien.
Dinos cómo te sientes
cuando alguien te perdona.

¿Quiere Dios que nos
perdonemos unos a otros?
¿Por qué?

¿Por qué algunas veces
necesitamos pedir
perdón a Dios?

236

25   God Forgives Us

OUR LIFE

Read to me
I was very angry.
My face turned red,
When I heard
What my sister said.

She started to fight
In the middle of the game.
I got upset,
And called a name.

Mom told us both
To forgive and forget,
But I don't think
We can do that yet.

Has something like this
Ever happened to you?
Tell about it.
What did you do?

SHARING LIFE

Tell how you feel when
you forgive someone.

Tell how you feel when
someone forgives you.

Does God want us to forgive
other people? Why?

Why do we sometimes need
to ask God to forgive us?

237

Mostramos nuestro arrepentimiento

Somos hijos de Dios. Sabemos que Dios quiere que amemos a Dios, a los demás y a nosotros mismos.

Pero algunas veces no vivimos como hijos de Dios. No hacemos lo que Dios quiere. Hacemos cosas que sabemos no debemos hacer. Pecamos.

Necesitamos mostrar a los demás que estamos arrepentidos si les hemos ofendido. Hay muchas formas de decir a los otros "lo siento".

Podemos dar un abrazo.
Podemos dar la mano.
Podemos decir lo que tenemos
en el corazón.

Cuando pecamos necesitamos decir a Dios que estamos arrepentidos.

Dios nos perdona

Dios siempre nos ama, no importa lo que hagamos. Dios siempre nos perdona si estamos arrepentidos. En esta historia de la Biblia Jesús nos enseña que Dios siempre perdona.

We Show We Are Sorry

We are God's children. We know that God wants us to love Him, love others, and love ourselves.

But sometimes we do not live as God's children. We do not do what God wants. We do things we know we should not do. We sin.

We need to show others we are sorry if we have hurt them. There are lots of ways to tell others, "I am sorry."

We can give a hug.
We can shake hands.
We can say what is in our hearts.

When we sin we need to tell God that we are sorry.

God Forgives Us

God always loves us, no matter what we do. He always forgives us if we are sorry. In the Bible Jesus told this story to teach us that God always forgives.

Léeme esta historia de la Biblia

Había una vez un joven que decidió tomar su herencia y dejar el hogar de su padre. Cuando se le terminó el dinero, todos sus amigos lo dejaron. No tenía lugar donde ir y nada que comer. Se dio cuenta que había actuado mal. Decidió regresar a casa y decirle a su padre que estaba arrepentido.

Su padre estaba tan contento de volver a verle que lo perdonó y preparó una fiesta de bienvenida.

Basado en Lucas 15:11–24

En la Iglesia Católica hay una forma especial de celebrar el perdón de Dios. Es el sacramento de la Reconciliación.

Qué bueno es saber que Dios nos perdona y que su vida y gracia están en nosotros.

Read to me from the Bible
Once there was a young man who decided to take his money and leave his father's home. When all his money was gone, all his friends left him. He had no place to stay and nothing to eat. He knew he had done wrong. He decided to go back home and tell his father how sorry he was.

His father was so happy to see him! He forgave his son and had a party to welcome him home.
From Luke 15:11–24

In the Catholic Church we have a special way to celebrate that God forgives us. It is called the sacrament of Reconciliation.

How wonderful it is to know that God forgives us and that His life of grace is in us.

ACERCANDOTE A LA FE

La Biblia cuenta la historia del hijo que se fue de la casa. Sigue el camino que lo llevará de regreso a la casa de su padre.
Di lo que dijo el padre cuando vio a su hijo.

¿Nos perdona Dios siempre que estamos arrepentidos? ¿Por qué?

Sin salida

No pase

Tengo miedo

Estaba equivocado

No pase

Tengo hambre

VIVIENDO LA FE

¿Tienes que pedir a alguien que te perdone? ¿Qué le dirás?

¿Hay otra persona a quien quieres perdonar? ¿Qué le vas a decir?

Pasa a la página 104. Encuentra las palabras en el Padre Nuestro que nos hablan sobre el perdón. Recen juntos un Padre Nuestro.

COMING TO FAITH

Tell the Bible story
about the son who left home.
Follow the path that leads him
back home to his father.
Tell what the father said
when he saw his son.

Does God always forgive us
when we are sorry?
Why?

PRACTICING FAITH

Do you need to ask someone to forgive
you? What will you say?

Is there someone you would like to
forgive? What will you say?

Turn to page 105. Find the words in the
Our Father that tell us about forgiveness.
Pray the Our Father together.

REPASO

Colorea el círculo al lado de la respuesta correcta.

1. Celebramos el perdón de Dios en el sacramento de

_____.

○ el Bautismo   ○ la Eucaristía   ○ la Reconciliación

2. Dios dice que debemos _____ a Dios, a los demás y a nosotros mismos.

○ amar   ○ juzgar   ○ maltratar

3. Cuando hacemos algo malo, Dios nos perdona si estamos _____.

○ arrepentidos   ○ callados   ○ trabajando

4. El sacerdote nos perdona en nombre de _____.

○ él mismo   ○ Dios   ○ María

5. ¿Qué dirás a Dios por haberte perdonado?

FE VIVA — EN EL HOGAR Y EN LA PARROQUIA

En esta lección los niños aprendieron sobre el perdón y se les presentó el sacramento de la Reconciliación. En este sacramento la Iglesia continúa el ministerio de Jesús de perdonar a los pecadores. Ese perdón significa no sólo decir a Dios que estamos arrepentidos, sino también buscar las formas de reparar el mal que se ha hecho. El Catecismo de la Iglesia Católica reitera este importante aspecto de la reconciliación. Esta lección también ayuda a los niños a entender la necesidad que todos tenemos de perdonar a otros.

Resumen de la fe

● Dios siempre nos perdona si estamos arrepentidos.

● La Iglesia perdona en nombre de Dios.

REVIEW ■ TEST

Fill in the circle beside the correct answer.

1. We celebrate God's forgiveness in the sacrament of _____ .

  ○ Baptism   ○ Eucharist   ○ Reconciliation

2. God says this is what we must do for God, others, and ourselves.

  ○ love   ○ play   ○ work

3. When we do what is wrong God forgives us if we _____ .

  ○ are sorry   ○ keep quiet   ○ know we are wrong

4. The priest forgives us in the name of _____ .

  ○ himself   ○ God   ○ Mary

5. What will you say to God for forgiving you?

 FAITH ALIVE AT HOME AND IN THE PARISH

In this lesson your child has been given a basic understanding of forgiveness and was introduced to the sacrament of Reconciliation. In this sacrament the Church continues Jesus' ministry of forgiving sinners. Such forgiveness means not just telling God we are sorry, but also seeking ways of repairing any harm done to those we have hurt. The *Catechism of the Catholic Church* reiterates this important aspect of reconciliation. This lesson also helps your child understand the need for each of us to forgive others.

Faith Summary

● God always forgives us if we are sorry.

● The Church forgives us in God's name.

26 Viviendo con Dios para siempre

Bravo, Dios siempre nos amarás.

NUESTRA VIDA

Imagínate estar en segundo curso.
Pregúntate lo siguiente:

¿Luciré igual que hoy?
¿Seré más alto?
¿Tendré la misma cantidad de dientes?
¿Estaré en la misma aula?
¿Tendré el mismo catequista?
¿Me gustarán las mismas cosas?

COMPARTIENDO LA VIDA

¿Qué crees que en ti se mantendrá igual?
¿Por qué?

¿Qué crees que será diferente? ¿Por qué?

¿Hay algo que no cambia?

¿Qué crees que durará para siempre?

26 Living With God Forever

Hooray, God! You will love us forever!

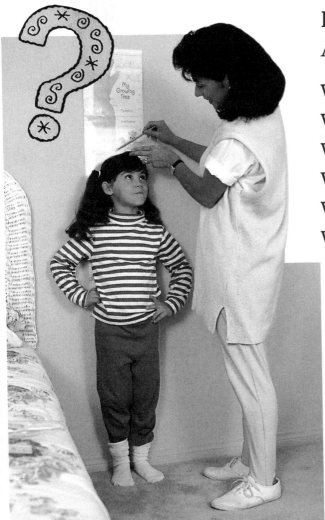

OUR LIFE

Imagine you are in second grade.
Ask yourself these questions.

Will I look the same as I do today?
Will I be taller than I am now?
Will I have the same number of teeth?
Will I be in the same classroom?
Will I have the same teacher?
Will I like to do the same things?

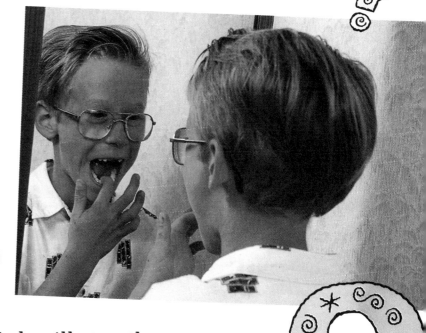

SHARING LIFE

What do you think will stay the same about you? Why?

What do you think will be different? Why?

Does anything stay the same forever?

What do you think lasts forever?

Podemos estar con Dios para siempre

Esta historia bíblica nos muestra cuanto Jesús nos ama y quiere que estemos con Dios para siempre.

Léeme esta historia bíblica

Un día unas personas trajeron a unos niños para que Jesús los tocara. Cuando sus amigos los vieron les pidieron que se fueran y no molestaran a Jesús.

Jesús se enojó y dijo a sus amigos: "Dejen que los niños vengan a mí. El reino de Dios es para ellos".

Entonces Jesús tomó a los niños de las manos y los bendijo.
Basado en Marcos 10:13–16

Somos hijos de Dios y amigos de Jesús. Si vivimos como hijos de Dios, como nos enseñó Jesús, seremos felices para siempre con Dios en el cielo.

He aquí algunas de las buenas noticias que aprendimos este año. Recuerda que estas cosas nos ayudarán a vivir como hijos de Dios y amigos de Jesús.

Let the children

OUR CATHOLIC FAITH

We Can Be with God Forever

This Bible story shows us how much Jesus loves us and wants us to be with God forever.

Read to me from the Bible

One day some people brought
their children to see Jesus.
The friends of Jesus told them
to go away and not to bother Jesus.

Jesus was angry at this.
He said to His friends,
"Let the children come to Me.
The kingdom of God belongs to them."

Then Jesus took the children
in His arms and blessed them.
From Mark 10:13–16

We are God's own children
and friends of Jesus. If we live
as children of God, as Jesus
showed us, we will be happy
with Him forever in heaven.

Here is some of the good news
we learned this year.
Remembering these things will
help us live as children of God
and friends of Jesus.

come to me

Buena Nueva

- Jesús nos enseñó como amar a Dios, a los demás y a nosotros mismos.

- Jesús nos enseñó a ser justos y a vivir en paz.

- Jesús nos enseñó a ayudar a los necesitados.

- Dios nos creó y nos ama.

- Dios nos dio a su Hijo Jesús.

- Tratamos de seguir a Jesús.

- Jesús murió y resucitó a una nueva vida por nosotros.

- Jesús nos dio la Iglesia.

- Nos hacemos miembros de la Iglesia por el Bautismo.

- El Espíritu Santo nos ayuda a vivir como hijos de Dios.

- La Iglesia Católica es nuestro hogar especial en la familia cristiana.

- El amor de Dios por nosotros nunca terminará.

Good News

- Jesus showed us how to love God, one another, and ourselves.

- Jesus taught us how to be fair and to live in peace.

- Jesus taught us to help people in need.

- God made us and loves us.

- God's greatest gift is Jesus, the Son of God.

- We try to follow Jesus.

- Jesus died and rose to new life for us.

- Jesus gave us the Church.

- We became members of the Church at Baptism.

- The Holy Spirit helps us to live as children of God.

- The Catholic Church is our special home in the Christian family.

- God's love for us will never end.

ACERCÁNDOTE A LA FE

Imagínate que estás con Jesús.
Háblale de lo que has
aprendido. Dile cómo tratarás
de vivir como un hijo de Dios.

Rezaré

Alabaré en la misa

Seré amable

Seré justo

VIVIENDO LA FE

Escoge la bandera que dice lo
que harás este verano para
mostrar que eres un hijo de Dios.

Oración
† Querido Jesús, ayúdame a estar
cerca de ti y a crecer como hijo
de Dios.

COMING TO FAITH

Imagine you are sitting with Jesus.
Talk to Him about what
you have learned.
Tell Him how you will try
to live as a child of God.

I will pray

I will worship God at Mass

I will be kind

I will be fair

PRACTICING FAITH

Mark the pennants to tell
what you will do this summer
to show that you are God's child.

Pray,
† Dear Jesus, help us stay close to you.
Help us to grow as God's children
this summer.

REPASO

Rellena el círculo al lado de la respuesta correcta.

1. El amor de Dios _____ termina.

   ○ nunca   ○ siempre   ○ un día

2. Damos la bienvenida a nuevos miembros de la Iglesia por medio de _____.

   ○ el Bautismo   ○ la Eucaristía   ○ la Confirmación

3. Este año aprendimos la _____ de Jesús.

   ○ la Reconciliación   ○ buena nueva   ○ pena

4. Mostramos que somos discípulos de Jesús cuando somos _____.

   ○ odiosos   ○ injustos   ○ justos

5. ¿Cómo vivirás como hijo de Dios durante el verano?

EN EL HOGAR Y EN LA PARROQUIA

Los niños han completado el primer curso de la fe católica *Acercándote a Jesús*. Felicitamos a su familia por su continuo interés y apoyo en el crecimiento de la fe de su niño. Su interés debe continuar durante los meses de verano rezando y haciendo buenas obras juntos. Vivir la fe católica como discípulos de Jesús es una vocación de toda la vida.

Revise con su niño las verdades importantes aprendidas este año. Comparta con su hijo el por qué su fe en Dios es importante para usted. Ayude al niño a participar de lleno en la misa todas las semanas.

Conversen acerca de lo que harán para vivir la Ley del Amor durante las semanas de vacaciones.

Resumen de la fe

● Jesús quiere que estemos siempre con él.

● El amor de Dios nunca termina.

REVIEW ▪ TEST

Fill in the circle beside the correct answer.

1. God's love will _____ end.

    ◯ never   ◯ always   ◯ one day

2. We become members of the Church

at _____ .

    ◯ Baptism   ◯ Eucharist   ◯ Confirmation

3. This year we have learned the _____ of Jesus.

    ◯ children   ◯ good news   ◯ Reconciliation

4. We show we are Jesus' followers when we

are _____ .

    ◯ unkind   ◯ unfair   ◯ fair

5. How will you live as God's child during vacation?

FAITH ALIVE ▪ AT HOME AND IN THE PARISH

Your child is now completing *Coming to God,* the first grade book about the Catholic faith. Your family is to be congratulated for its continued interest in and support of your child's growth in faith. Your interest need not stop here but should continue through the summer months with experiences of prayer and good works. Living out our Catholic faith as disciples of Jesus is a lifetime vocation.

Recall with your child some of the most important truths learned this year. Share with your child why your faith in God is so important to you. Help your child to participate as fully as possible at Mass each week.

Talk over what you will do as a family to live the Law of Love during the weeks of vacation.

Faith Summary

- Jesus wants us to be with Him forever.
- God's love will never end.

REVISION DE LA PRIMERA UNIDAD

Creación es todo lo hecho por Dios.
Dios creó al mundo y todo lo que hay en él.
Todo lo hecho por Dios es bueno.
Dios creó a todo el mundo bueno.
Dios quiere que todo el mundo se preocupe
de las cosas vivientes.

Dios te dio su propia vida.
Gracia es la vida y el amor de Dios en ti.
Puedes decir: "Dios es un padre amoroso.
Soy hijo de Dios".

Dios nos conoce y nos ama.
Hay un solo Dios.
Hay tres Personas en Dios: Dios Padre,
Dios Hijo y Dios Espíritu Santo. Las tres
Personas en Dios nos conocen y nos aman.

Dios siempre nos ama y nos cuida.
Algunas veces hacemos cosas malas.
A pesar de ello Dios siempre nos ama
y nos cuida.

Dios nos dio a Jesús, su único Hijo, para
enseñarnos a amar a Dios y unos a otros.

UNIT 1 • REVIEW

Creation is everything made by God.
God made the world and all things in it.
Everything God made is good.
God made all people wonderful.
God wants people to care for all
living things.

God gives you His own life.
Grace is God's own life and
love in you. You can say,
"God is like a loving Parent.
I am God's own child."

God knows and loves us.
There is only one God.
There are three Persons in God:
God the Father, God the Son,
and God the Holy Spirit.
The three Persons in God know
and love us.

God loves and cares for us always.
Sometimes we do what is wrong.
Even then, God loves and cares
for us always.

God gives us Jesus, His
own Son, to show us how to
love God and one another.

PRUEBA PARA LA PRIMERA UNIDAD

Encierra en un círculo **Sí** o **No**.
Encierra el signo **?** si no estás seguro.

1. Creación es todo lo hecho por Dios.   **Sí**   **No**   **?**

2. Soy un hijo de Dios.   **Sí**   **No**   **?**

3. Hay tres Personas en un solo Dios.   **Sí**   **No**   **?**

4. Gracia es otro nombre para la Biblia.   **Sí**   **No**   **?**

5. Reza una oración para mostrar que crees en la Santísima Trinidad.

Nombre _____

Su hijo ha completado la primera unidad de este curso. Pídale entregar esta página al catequista. Esto permitirá a usted y al catequista ayudar al niño a crecer en la fe.

_____ Mi hijo necesita ayuda en lo subrayado.

_____ Mi hijo entiende bien lo enseñado en esta unidad.

_____ Me gustaría hablar con usted. Mi número de teléfono es

_____.

_____

(Firma)

UNIT 1 • TEST

Circle **Yes** or **No**.
Circle **?** if you are not sure.

1. Creation is everything made
by God. **Yes** **No** **?**

2. I am God's own child. **Yes** **No** **?**

3. There are three Persons in one God. **Yes** **No** **?**

4. Grace is another name for
the Bible. **Yes** **No** **?**

5. Pray the prayer that shows you believe in
the Blessed Trinity.

Child's name _____

Your child has just completed Unit 1. Have your
child bring this paper to the catechist. It will
help you and the catechist know better how to
help your child grow in the faith.

_____ My child needs help with the part of the
Review I have underlined.

_____ My child understands what has been
taught in this unit.

_____ I would like to speak with you.
My phone number is

_____.

_____

(Signature)

Jesús es parte de nuestra familia humana.

Jesús es humano como nosotros.
El rió y jugó con sus amigos. El los amó y se
preocupó por ellos. Algunas veces se sintió
cansado y triste. Jesús hizo las cosas que
nosotros hacemos.

Jesús es el Hijo de Dios.

Jesús mostró a la gente lo mucho que
Dios nos ama. Jesús mostró, con lo que hizo
y dijo, que él era el Hijo de Dios.

Jesús es nuestro amigo y maestro.

Jesús enseñó a la gente cómo amarse y
cuidarse mutuamente. Que feliz sería el
mundo si todos amáramos a Dios, a los
demás y a nosotros mismos.

Jesús se dio a sí mismo a nosotros.

La noche antes de morir Jesús compartió
una comida especial con sus amigos, la última
Cena. Al día siguiente, Viernes Santo,
Jesús murió por todos sus amigos. El Domingo
de Resurrección, Jesús resucitó de la muerte
para darnos una nueva vida. Jesús está vivo
y con nosotros.

UNIT 2 ▪ REVIEW

Jesus is part of our human family.
Jesus was human like us.
He laughed and played with His
friends. He loved and cared for
them. At times He was sad or
tired. Jesus did the things we do.

Jesus is God's own Son.
Jesus showed the people how
much God loved them.
Jesus showed by what He did and
said that He was God's own Son.

Jesus is our Friend and Teacher.
Jesus showed the people how
to love and care for one
another. What a happy world
this would be if everyone loved
God, loved all people, and loved
themselves.

Jesus gave Himself for us.
The night before Jesus died He
shared a special meal, the Last
Supper, with His friends. The
next day, Good Friday, Jesus
died for all His friends. On
Easter Sunday, Jesus rose from
the dead to bring us new life.
Jesus is alive and with us today.

PRUEBA PARA LA SEGUNDA UNIDAD

Encierra en un círculo la respuesta correcta.

1. Jesús es el _____ de Dios.

      Padre   Hijo

2. Cuando hablamos y escuchamos a Dios estamos _____ .

      leyendo   rezando

3. Jesús murió el _____ .

      Viernes Santo   Jueves Santo

4. Jesús resucitó de la muerte en _____ .

      Navidad   Pascua

5. La oración que Jesús enseñó es _____ .

      el Padre Nuestro   el Ave María

Nombre _____

Su hijo ha completado la segunda unidad de este curso. Pídale entregar esta página al catequista. Esto permitirá a usted y al catequista ayudar al niño a crecer en la fe.

____ Mi hijo necesita ayuda en lo subrayado.

____ Mi hijo entiende bien lo enseñado en esta unidad.

____ Me gustaría hablar con usted. Mi número de teléfono es

_____.

_____

(Firma)

UNIT 2 ▪ TEST

Circle the correct answer.

1. Jesus is the _____ of God.

      Father   Son

2. When we talk and listen to God we _____.

      read   pray

3. Jesus died on _____.

      Good Friday   Holy Thursday

4. Jesus rose from the dead on _____.

      Christmas   Easter

5. The prayer Jesus taught is the _____.

      Our Father   Hail Mary

Child's name _____

Your child has just completed Unit 2. Have your child bring this paper to the catechist. It will help you and the catechist know better how to help your child grow in the faith.

_____ My child needs help with the part of the Review I have underlined.

_____ My child understands what has been taught in this unit.

_____ I would like to speak with you. My phone number is

_____.

(Signature)

Jesús envía al Espíritu Santo

Dios Espíritu Santo ayudó a los amigos de Jesús a rezar y recordar que Jesús quería que se amaran unos a otros. El Espíritu Santo les ayudó para que dijeran la buena nueva de Jesús a todo el mundo.

La Iglesia empieza

La Iglesia es Jesucristo y sus amigos bautizados unidos por el Espíritu Santo. El Espíritu Santo ayuda a los amigos de Jesús a ser su Iglesia y a vivir como cristianos.

Celebramos el Bautismo

Cuando somos bautizados, nos hacemos hijos de Dios. Recibimos la vida y el amor de Dios. Nos convertimos en parte de la Iglesia.

Celebramos la misa

La misa es nuestra gran celebración. Escuchamos la palabra de Dios de la Biblia. Recibimos el Cuerpo y la Sangre de Jesús en la sagrada comunión.

UNIT 3 · REVIEW

Jesus sends the Holy Spirit.

God the Holy Spirit helped the friends of Jesus to pray and to love others. The Holy Spirit helped them to tell everyone the good news of Jesus

The Church begins.

The Church is Jesus Christ and His baptized friends joined together by the Holy Spirit. The Holy Spirit helps the friends of Jesus to be His Church and to live as Christians.

We celebrate Baptism.

When we are baptized, we become God's own children. We receive God's own life and love. We become part of the Church.

We celebrate Mass.

Mass is our great celebration together. We listen to God's word from the Bible. We receive the Body and Blood of Jesus in Holy Communion.

PRUEBA PARA LA TERCERA UNIDAD

Colorea el círculo al lado de la respuesta correcta.

1. Pertenecemos a la _____ de Jesús.

○ Iglesia   ○ turba   ○ orquesta

2. El _____ está con nosotros.

○ amigo   ○ Espíritu Santo   ○ niño

3. Recibimos _____ en la sagrada comunión.

○ a Jesús   ○ agua   ○ pan

4. Por el bautismo nos hacemos _____ de Dios.

○ hijos   ○ flores   ○ libros

5. Dinos cómo amarás a alguien de la misma forma
que Jesús amó.

Nombre _____

Su hijo ha completado la tercera unidad de este curso. Pídale entregar esta página al catequista. Esto permitirá a usted y al catequista ayudar al niño a crecer en la fe.

_____ Mi hijo necesita ayuda en lo subrayado.

_____ Mi hijo entiende bien lo enseñado en esta unidad.

_____ Me gustaría hablar con usted. Mi número de teléfono es

_____.

_____

(Firma)

UNIT 3 · TEST

Fill in the circle beside the correct answer.

1. We belong to Jesus' _____ .

   ◯ room   ◯ Church   ◯ cross

2. The _____ is with us today.

   ◯ friend   ◯ Baptism   ◯ Holy Spirit

3. We receive _____ in Holy Communion.

   ◯ Jesus   ◯ water   ◯ bread

4. In Baptism I became _____ of God.

   ◯ a child   ◯ the Person   ◯ the Bible

5. Tell how you will love someone as Jesus did.

Child's name _____

Your child has just completed Unit 3. Have your child bring this paper to the catechist. It will help you and the catechist know better how to help your child grow in the faith.

____ My child needs help with the part of the Review I have underlined.

____ My child understands what has been taught in this unit.

____ I would like to speak with you. My phone number is

_____ .

_____
(Signature)

REVISION DE LA CUARTA UNIDAD

Somos bienvenidos a la parroquia.
Nos reunimos en nuestra parroquia
para aprender sobre Jesús y como vivir
como sus amigos. Todos son bienvenidos
a la familia parroquial.

Pertenecemos a la Iglesia Católica.
Nuestra Iglesia nos ayuda a ser santos.
Celebramos los sacramentos. En los
sacramentos nuestra Iglesia hace lo
que Jesús hizo con sus amigos.

Aprendemos a vivir en nuestra Iglesia.
En nuestra Iglesia aprendemos cómo
ser justos. Ser justo significa tratar a
todo el mundo de la forma en que
queremos ser tratados. Cuando somos
justos con los demás podemos vivir en paz.

La Iglesia nos da el perdón de Dios.
En la Iglesia Católica tenemos una
forma maravillosa de celebrar el
perdón de Dios. Este es el sacramento
de la Reconciliación. Rezamos y damos
gracias a Dios por amarnos y perdonarnos.

La vida de Dios dura para siempre.
Si vivimos como hijos de Dios, seremos
felices con Dios en el cielo para siempre.

UNIT 4 • REVIEW

We belong to a parish.

In our parish we come together
to learn about Jesus and how to
live as Jesus' friends. Everyone
is welcome in our parish family.

We belong to the Catholic Church.

Our Church helps us to be holy
people. We celebrate the sacraments.
In the sacraments our Church does
what Jesus did for His friends.

We learn how to live in our Church.

In our Church we learn how to
be fair to others. Being fair means
treating people the way we want
them to treat us. When we are fair
to one another, we can live in peace.

The Church brings God's forgiveness.

In the Catholic Church we have
a wonderful way to celebrate
that God forgives us. It is called
the sacrament of Reconciliation.
We pray and thank God for
loving us and forgiving us.

God's life lasts forever.

If we live as children of God, we
will be happy with God forever in heaven.

PRUEBA PARA LA CUARTA UNIDAD

Colorea el círculo al lado de la respuesta correcta.

1. El _____ es una oración a la madre de Jesús.

○ Credo   ○ Ave María   ○ El Padre Nuestro

2. _____ da la bienvenida a los nuevos miembros a la Iglesia.

○ El Bautismo   ○ La Eucaristía   ○ La Reconciliación

3. Adorar es dar honor y gloria a _____.

○ María   ○ Pedro   ○ Dios

4. Dios siempre nos perdona si estamos _____.

○ amistosos   ○ arrepentidos   ○ viejos

5. Explica una forma en que trabajarás por la paz.

Nombre _____

Su hijo ha completado la cuarta unidad de este curso. Pídale entregar esta página al catequista. Esto permitirá a usted y al catequista ayudar al niño a crecer en la fe.

_____ Mi hijo necesita ayuda en lo subrayado.

_____ Mi hijo entiende bien lo enseñado en esta unidad.

_____ Me gustaría hablar con usted. Mi número de teléfono es

_____.

_____
(Firma)

UNIT 4 · TEST

Fill in the circle beside the correct answer.

1. A prayer to the mother of Jesus is the _____.
   ○ Creed   ○ Hail Mary   ○ Our Father

2. _____ welcomes new members into the Church.
   ○ Baptism   ○ Eucharist   ○ Reconciliation

3. To worship is to give honor and praise to _____.
   ○ Mary   ○ Church   ○ God

4. God always forgives us if we are _____.
   ○ friendly   ○ sorry   ○ old

5. Tell one way you will be a peacemaker.

Child's name _____

Your child has just completed Unit 4. Have your child bring this paper to the catechist. It will help you and the catechist know better how to help your child grow in the faith.

—— My child needs help with the part of the Review I have underlined.

—— My child understands what has been taught in this unit.

—— I would like to speak with you. My phone number is

_____.

_____
(Signature)

271

Oraciones

Señal de la Cruz
En el nombre del Padre,
y del Hijo,
y del Espíritu Santo.
Amén.

Gloria
Gloria al Padre
y al Hijo
y al Espíritu Santo.
Como era en el principio,
ahora y siempre, por los siglos
de los siglos. Amén.

Padre Nuestro
Padre nuestro, que estás en
el cielo,
santificado sea tu nombre;
venga a nosotros tu reino;
hágase tu voluntad en la tierra
como en el cielo.
Danos hoy nuestro pan de
cada día;
perdona nuestras ofensas,
como también nosotros
perdonamos

a los que nos ofenden;
no nos dejes caer en tentación,
más líbranos del mal. Amén.

Ave María
Dios te salve María, llena eres de
gracia;
el Señor es contigo;
bendita tú eres entre todas las
mujeres,
y bendito es el fruto de tu vientre,
Jesús.
Santa María, Madre de Dios,
ruega por nosotros pecadores,
ahora
y en la hora de nuestra muerte.
Amén.

Oración antes de las comidas
Bendícenos Señor, y bendice estos
dones
que vamos a recibir de tu
bondad, por tu Hijo
Jesucristo nuestro Señor. Amén.

Oración para después de las comidas

Te damos gracias, Dios todopoderoso,
por este y todos tus regalos, que recibimos por medio de Jesucristo, nuestro Señor. Amén.

Oración para la mañana

Señor, te ofrezco hoy todo lo que piense, haga y diga, unido a lo que en la tierra hizo tu Hijo Jesucristo.

Oración para la noche

Querido Dios, antes de irme a dormir quiero agradecerte por este día lleno de tus bondades y tu gozo. Cierro mis ojos y descanso seguro de tu amoroso cuidado.

Oración por mi vocación

Oh Dios, sé que me llamarás para hacer un trabajo especial en mi vida. Ayúdame a seguir a Jesús todos los días y estar dispuesto a contestar esa llamada.

Oración por la familia

Ven, Espíritu Santo,
llena nuestros corazones
de tu amor.

Sagrada Familia,
ayuda a mi familia
a ser una
familia santa.

Prayers

Glory to the Father

Glory to the Father,
and to the Son,
and to the Holy Spirit
as it was in the beginning,
is now, and will be forever.
Amen.

Hail Mary

Hail Mary, full of grace,
the Lord is with you;
blessed are you
among women,
and blessed is the fruit
of your womb, Jesus.
Holy Mary, Mother of God,
pray for us sinners
now and at the hour
of our death.
Amen.

Sign of the Cross

In the name of the Father,
and of the Son,
and of the Holy Spirit.
Amen.

Our Father

Our Father, who art in heaven,
hallowed be thy name;
thy kingdom come;
thy will be done on earth
as it is in heaven.
Give us this day our daily bread
and forgive us our trespasses
as we forgive those
who trespass against us;
and lead us not into temptation
but deliver us from evil.
Amen.

Grace After Meals

We give you thanks,
almighty God,
for these and all your gifts
which we have received
through Christ our Lord.
Amen.

Morning Offering

My God, I offer you today
all I think and do and say,
uniting it with what was done
on earth by Jesus Christ,
your Son.

Evening Prayer

Dear God, before I sleep
I want to thank you
for this day so full of
your kindness and your joy.
I close my eyes to rest
safe in your loving care.

A Vocation Prayer

God, I know you will
call me for special work
in my life. Help me
to follow Jesus each day
and be ready to answer
your call.

Family Prayer

Come, Holy Spirit,
fill our hearts
with love.

Holy Family,
help our family
to be a
holy family, too.

ORACIÓN FINAL

Guía: Vean como el Padre los ama.
El amor de Dios es tan grande que somos
llamados hijos de Dios.

Basado en 1 de Juan 3:1

Querido Dios, somos tus hijos.
Gracias, por todos tus regalos.

Lector: Por crearnos...

Todos: Gracias, Señor.

Lector: Por amarnos...

Todos: Gracias, Señor.

Lector: Por estar siempre con nosotros. . .

Todos: Gracias, Señor.

Lector: Por el Espíritu Santo...

Todos: Gracias, Señor.

Lector: Por darnos a Jesús...

Todos: Gracias, Señor.

CLOSING PRAYER SERVICE

Leader: See how the Father has loved us!
God's love is so great that we are called
God's children.

From 1 John 3:1

Dear God, we are Your children.
We thank You for all Your gifts.

Reader: For making us. . .

All: Thank You, God!

Reader: For loving us. . .

All: Thank You, God!

Reader: For never leaving us. . .

All: Thank You, God!

Reader: For the Holy Spirit. . .

All: Thank You, God!

Reader: For giving us Jesus. . .

All: Thank You, God!

MI LIBRO DE LA FE CATÓLICA

Para la familia

Al tiempo que los niños finalizan su experiencia del primer curso, queremos celebrar con ustedes las formas en que ellos han crecido como hijos de Dios. Ustedes han guiado a sus hijos en su crecimiento en la fe cristiana y en sabiduría, incluyendo el amor por la Escritura. Durante este año los niños aprendieron y tuvieron importantes experiencias sobre algunas de las verdades de nuestra fe según están expresadas en el Catecismo de la Iglesia Católica, por ejemplo:

- Credo:
  Dios nos dio a su único Hijo Jesucristo.
  Somos miembros de la familia de Dios, la Iglesia.
  El Espíritu Santo nos ayuda a vivir como hijos de Dios.

- Sacramentos:
  Nos hacemos miembros de la Iglesia por el Bautismo. Damos gracias a Jesús en la misa por el regalo de sí mismo en la Eucaristía. En el Sacramento de la Reconciliación celebramos el perdón de Dios. Somos fortalecidos por el Espíritu Santo en la Confirmación.

- Moral:
  Tratamos de seguir a Jesús. Tratamos de amar a Dios, a los demás y a nosotros mismos. Tratamos de ser justos y vivir en paz.

- Oración:
  Escuchamos la palabra de Dios de la Biblia. Hablamos a Dios con nuestras palabras. Rezamos el Padre Nuestro, el Ave María y hacemos la Señal de la Cruz.

Continúe animando a su hijo a crecer en la fe y asistan juntos a misa, canten las canciones, lean las historias bíblicas acerca del amor de Dios por nosotros y crezcan juntos.

Oración por la familia

Querido Dios, ayuda a nuestra familia a seguir creciendo en la fe cada día. Ayúdanos a crecer imitando a tu Hijo Jesucristo. Amén.

Esto es lo que creemos…

Dios hizo el mundo y a todas las personas.
Todo lo hecho por Dios es bueno.

Dios nos creó y nos ama.

Dios lo sabe todo, Dios ama y crea.

C Dios nos creó para que aprendiéramos,
amáramos e hiciéramos cosas.

R Hay un solo Dios.

E Hay tres Personas en un solo Dios:

D Dios Padre, Dios Hijo y Dios Espíritu Santo.

O Llamamos a las tres Personas en Dios
Santísima Trinidad. El amor de Dios por
nosotros nunca termina.

Así es como rezamos…

Podemos rezar en cualquier momento,
solos o con otros.

R Escuchamos la palabra de Dios en la
Biblia.

E Hablamos a Dios con nuestras propias
palabras o hacemos oraciones especiales
que hemos aprendido: la Señal de la

Z Cruz, el Padre Nuestro, y el Ave María.

A Empezamos a aprender el Credo de los
Apostóles.

R Adoramos a Dios, le damos
gracias y le pedimos
ayuda. Decimos a Dios
que estamos arrepentidos
si hemos ofendido a
Dios u a otra persona.

Así es como vivimos...

Tratamos de seguir a Jesús.

Tratamos de cumplir la Ley del Amor.

M Amamos a Dios, a los demás y a nosotros mismos.

O Cuidamos del mundo de Dios.

R Cuidamos del pueblo de Dios.

A Nos preocupamos en forma especial por los pobres y los necesitados.

L Tratamos de vivir justamente.

Tratamos de vivir en paz.

Jesús es el mayor regalo de Dios a nosotros. Jesús es el Hijo de Dios. El nos enseñó cuanto Dios nos ama.

Jesús nos dio la Ley del Amor. El nos dijo que amáramos a Dios y a los demás como a nosotros mismos.

Jesús murió el Viernes Santo y resucitó de la muerte el Domingo de Resurrección. El está vivo y con nosotros hoy. Jesús nos dio nueva vida.

Jesús nos dio la Iglesia.

Así es como celebramos…

Celebramos el sacramento del Bautismo. Cuando somos bautizados recibimos la vida y el amor de Dios.

En el sacramento de la Confirmación recibimos el don del Espíritu Santo de forma especial.

Celebramos la misa. Escuchamos la palabra de Dios y compartimos el cuerpo y la Sangre de Cristo.

Celebramos el sacramento de la Eucaristía en la misa. Compartimos el regalo de Jesús en la comunión.

Celebramos el sacramento de la Reconciliación. Decimos a Dios que estamos arrepentidos y celebramos que Dios está siempre dispuesto a perdonarnos.

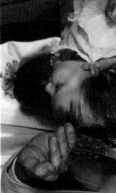

La Iglesia es la comunidad de amigos bautizados de Jesús.

Estamos unidos por el Espíritu Santo. El Espíritu Santo ayuda a los amigos de Jesús a ser su Iglesia.

Nos hacemos miembros de la Iglesia por el Bautismo. Somos cristianos católicos.

En el Bautismo recibimos la vida y el amor de Dios. Esto es la gracia.

La Iglesia Católica está en todo el mundo.

El Espíritu Santo nos ayuda vivir como hijos de Dios.

Podemos vivir en el cielo por siempre con Dios.

MY CATHOLIC FAITH BOOK

For the Family

As your child's first grade experience ends, we celebrate with you the ways in which your child has grown as a child of God. You have guided your child's growth in the wisdom of Christian faith, including a love for Scripture. During this year, your child has learned and experienced some very important truths of our faith as they are contained in the *Catechism of the Catholic Church*. For example:

• **Creed:** God gave us His Son, Jesus Christ. We are members of God's family, the Church. The Holy Spirit helps us live as children of God.

• **Sacraments:** We become members of the Church at Baptism. We thank Jesus at Mass for the gift of Himself in the Eucharist. In the sacrament of Reconciliation, we celebrate God's forgiveness. We are strengthened by the Holy Spirit at Confirmation.

• **Morality:** We try to follow Jesus. We try to love God, one another, and ourselves. We try to be fair and to live in peace.

• **Prayer:** We listen to God's word in the Bible. We talk to God in our own words. We pray the Our Father, the Hail Mary, and the Sign of the Cross.

Continue to encourage your child to grow in faith by going to Mass together, singing the faith songs, reading Bible stories about God's love for us, and praying together.

Family Prayer

Dear God,
Help our family to continue to grow in faith each day. God, help us as we grow more like Jesus Christ, Your Son. Amen.

This is what we believe…

C God made the world and all people.
Everything God made is good.
He made us and loves us.

R He knows and loves and creates.
God made us to know and love
and make things.

E There is only one God.

E There are three Persons in one God:
God the Father, God the Son, and
God the Holy Spirit.

E We call the three Persons in God
the Blessed Trinity.

D God's love for us will never end.

This is how we pray…

P We can pray anywhere or anytime
by ourselves or with others.
We listen to God's word in the Bible.

R We talk to God in our own words
or say special prayers we have
learned, the Sign of the Cross,
the Our Father, and the Hail Mary.
We begin to learn the Apostles' Creed.

A We praise God, thank Him,
or ask Him for help.

Y We tell God we are sorry
if we have hurt Him
or other people.

E

R

This is how we live...

We try to follow Jesus.

We try to follow the Law of Love.

We love God, others, and ourselves.

We care for God's world.

We care for all people.

We care especially for the poor and needy.

We try to live fairly.

We try to be peacemakers.

Jesus is God's greatest gift to us. Jesus is God's own Son. He shows us how much God loves us.

Jesus gave us the Law of Love. He told us to love God, others, and ourselves.

Jesus died on Good Friday and rose from the dead on Easter Sunday. He is alive and with us today. Jesus gives us new life.

Jesus gave us the Church.

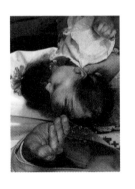

This is how we celebrate…

We celebrate the sacrament of Baptism. When we are baptized, we receive God's own life and love.

In the sacrament of Confirmation we receive the gift of the Holy Spirit in a special way.

We celebrate the Mass. We hear God's word and share the Body and Blood of Christ.

We celebrate the sacrament of Eucharist at Mass. We share Jesus' gift of Himself in Holy Communion.

We celebrate the sacrament of Reconciliation. We tell God we are sorry and we celebrate that God is always ready to forgive us.

The Church is the community of Jesus' baptized friends.

We are joined together by the Holy Spirit. The Holy Spirit helps the friends of Jesus to be His Church.

We became members of the Church at Baptism. We are Catholic Christians.

At Baptism, we receive God's own life and love. We call this grace.

The Catholic Church is all over the world.

The Holy Spirit helps us live as children of God.

We can live forever in heaven with God.

S
A
C
R
A
M
E
N
T
S

Adviento (página 124)

Nombre que los cristianos damos al tiempo de espera para la celebración del nacimiento de Jesús en Navidad. Continuamos esperando la segunda venida de Jesús.

Bautismo (página 164)

Nos da la gracia que es la vida y el amor de Dios.

Biblia (página 56)

El libro que nos cuenta la historia de Dios.

Confirmación (página 218)

Sacramento por medio del cual el Espíritu Santo viene a nosotros en forma especial.

Creación (página 8)

Todo lo que Dios ha hecho.

Cuaresma (página 192)

Tiempo especial antes de la Pascua de Resurrección. Rezamos y tratamos de crecer como seguidores de Jesús.

Culto (página 220)

Honrar y alabar a Dios.

Domingo de Resurrección

(página 116)

Día en que Jesús resucitó de la muerte.

Espíritu Santo (página 144)

La tercera Persona de la Santísima Trinidad, a quien Jesús envió para que nos ayude.

Eucaristía (página 218)

Sacramento por medio del cual recibimos el Cuerpo y la Sangre de Cristo.

Evangelio (página 184)

La buena noticia de que Dios nos ama y nos da a su Hijo Jesucristo.

Gracia (página 28)

El amor y la vida de Dios en nosotros.

Iglesia Católica

Todos los bautizados seguidores de Jesús reunidos por el Espíritu Santo bajo la dirección del papa y los obispos.

Jesucristo (página 74)

El Hijo de Dios y el hijo de María.

Ley del Amor (página 106)
Jesús nos enseña a amar a Dios a los demás y a nosotros mismos.

María (página 74)
La madre de Jesús, el Hijo de Dios. María es también nuestra madre.

Misa (página 174)
Celebración especial en la cual escuchamos la palabra de Dios, recordamos la muerte y resurrección de Jesús y compartimos el Cuerpo y la Sangre de Cristo.

Navidad (página 76)
Día en que celebramos el nacimiento de Jesús.

Oración (página 96)
Hablar y escuchar a Dios.

Papa (página 154)
Cabeza de la Iglesia Católica.

Parroquia (página 210)
Lugar especial donde se reúnen a orar los amigos de Jesús.

Pecado (página 238)
El acto de elegir libremente hacer lo que sabemos está mal. Desobedecemos la ley de Dios a propósito.

Reconciliación (página 218)
Sacramento por medio del cual el sacerdote nos da el perdón y la misericordia de Dios.

Sacramentos (página 218)
Signos por medio de los cuales Jesús comparte la vida y el amor de Dios con nosotros.

Sagrada Comunión (página 116)
Recibir el Cuerpo y la Sangre de Cristo.

Sagrada Familia (página 76)
La familia de Jesús, María y José.

Santísima Trinidad (página 38)
Tres Personas en un solo Dios; el Padre, el Hijo y el Espíritu Santo.

Santos (página 64)
Personas que amaron mucho a Dios y que ahora comparten la felicidad con Dios por siempre en el cielo.

Ultima Cena (página 114)
La última comida que Jesús tuvo con sus amigos antes de morir. En esta comida, Jesús nos dio el regalo de la Eucaristía.

Viernes Santo (página 116)
El día en que Jesús murió en la cruz.

GLOSSARY

Advent (page 125)
The name Christians give to our waiting time before we celebrate Jesus' birth at Christmas. We continue to wait until Jesus comes again.

Baptism (page 165)
The sacrament that gives us a share in God's life and makes us His own children and members of Jesus' Church.

Bible (page 57)
The book that tells God's story.

Blessed Trinity (page 39)
The three Persons in one God: the Father, the Son, and the Holy Spirit.

Catholic Church
The baptized followers of Jesus who are joined together by the Holy Spirit under the leadership of the pope and bishops.

Christians (page 153)
Followers of Jesus Christ.

Christmas Day (page 77)
The day we celebrate the birth of Jesus.

Confirmation (page 219)
The sacrament in which the Holy Spirit comes to us in a special way.

Creation (page 19)
Everything made by God.

Easter Sunday (page 117)
The day Jesus rose from the dead.

Eucharist (page 219)
The sacrament in which we receive the Body and Blood of Christ.

Good Friday (page 117)
The day Jesus died on the cross for all people.

Gospel (page 185)
The good news that God loves us and gives us Jesus Christ, the Son of God.

Grace (page 29)
God's own life and love in us.

Holy Communion (page 117)
The Body and Blood of Christ.

Holy Family (page 77)
The family of Jesus, Mary, and Joseph.

Holy Spirit (page 145)
The third Person of the Blessed Trinity, the Helper sent to us by Jesus.

Jesus Christ (page 75)
The Son of God and the Son of Mary.

Last Supper (page 115)
The last meal Jesus had with His friends before He died. At this meal, Jesus gave us the gift of the Eucharist.

Law of Love (page 107)
Jesus teaches us to love God, and others as we love ourselves.

Lent (page 193)
Lent is the special time before Easter. We pray and try to grow as followers of Jesus.

Mary (page 75)
Mary is the mother of Jesus, God's own Son. Mary is our mother too.

Mass (page 175)
The special celebration in which we hear God's word, remember Jesus dying and rising, and share the Body and Blood of Christ.

Parish (page 211)
The special place where Jesus' friends come together to pray.

Pope (page 155)
The pope is the leader of the Catholic Church.

Prayer (page 97)
Talking and listening to God.

Reconciliation (page 219)
The sacrament in which the Church brings us God's forgiveness and mercy.

Sacraments (page 219)
Signs through which Jesus shares God's own life and love with us.

Saints (page 65)
People who loved God very much, and who are now happy with God forever in heaven.

Sin (page 239)
The act of freely choosing to do what we know to be wrong. We disobey God's law on purpose.

Worship (page 221)
Giving honor and praise to God.